6 .00

Transforme-toi

en demoiselle-fée

Transforme-toi

en demoiselle-fée

Aventure 1
Des Bécots pour un Crapaud

Maude Royer

A·D·A
J·E·U·N·E·S·S·E

Copyright © 2015 Maude Royer
Copyright © 2015 Éditions AdA Inc.
Tous droits réservés. Aucune partie de ce livre ne peut être reproduite sous quelque forme que ce soit sans la permission écrite de l'éditeur, sauf dans le cas d'une critique littéraire.

Éditeur : François Doucet
Révision linguistique : Féminin pluriel
Correction d'épreuves : Nancy Coulombe, Carine paradis, Catherine Vallée-Dumas
Illustrations de la couverture et de l'intérieur : © Thinkstock
Design de la couverture : Maude Royer
Montage de la couverture : Mathieu C. Dandurand
Mise en pages : Mathieu C. Dandurand
ISBN papier : 978-2-89752-964-2
ISBN PDF numérique : 978-2-89752-965-9
ISBN ePub : 978-2-89752-966-6
Première impression : 2015
Dépôt légal : 2015
Bibliothèque et Archives nationales du Québec
Bibliothèque Nationale du Canada

Éditions AdA Inc.
1385, boul. Lionel-Boulet
Varennes, Québec, Canada, J3X 1P7
Téléphone : 450-929-0296
Télécopieur : 450-929-0220
www.ada-inc.com
info@ada-inc.com

Diffusion
Canada :   Éditions AdA Inc.
France :   D.G. Diffusion
             Z.I. des Bogues
             31750 Escalquens — France
             Téléphone : 05.61.00.09.99
Suisse :   Transat — 23.42.77.40
Belgique :   D.G. Diffusion — 05.61.00.09.99

Imprimé au Canada

Québec ⬛⬛
⬛⬛
Crédit d'impôt   Gestion
livres   SODEC

Participation de la SODEC.
Nous reconnaissons l'aide financière du gouvernement du Canada par l'entremise du Fonds du livre du Canada (FLC) pour nos activités d'édition.
Gouvernement du Québec — Programme de crédit d'impôt pour l'édition de livres — Gestion SODEC.

Le jeu

Ouvrir ce livre est tout ce que tu as à faire pour devenir Énalla, une intrépide fée aux ailes de libellule. Une fois transformé, tu auras de nombreuses décisions à prendre, et quelques épreuves à surmonter. Tu devras parfois réfléchir, sans pour autant t'arracher les cheveux de sur le crâne. À d'autres moments, tu auras intérêt à écouter la petite voix dans ta tête, celle d'Énalla. Plusieurs chemins mènent à la réussite de ta mission. Que tu la complètes avec succès au premier essai ou non, tu pourras emprunter l'identité d'Énalla aussi souvent que tu en auras envie. Chaque fois, ton histoire sera différente. Il se pourrait toutefois que tu passes au même endroit à plus d'une reprise. Évite alors de refaire les mêmes erreurs!

Pour vivre pleinement cette aventure, il n'y a que deux règles à respecter :

✿ **Suis bien les directives sans tricher (ou pas trop) ;**

✿ **Amuse-toi !**

Ton Personnage

Es-tu prêt à te métamorphoser en demoiselle-fée ? Si tu es déjà une fille, cette transformation se fera en douceur. Si tu es un garçon, l'expérience sera aussi amusante, et d'autant plus dépaysante ! Dans le pire des cas, tu ressentiras un drôle de petit frisson entre les orteils. Qui que tu sois, vas-y, claque des doigts. Voilà, tu es Énalla ! Maintenant, penche-toi tout doucement au-dessus de l'eau de ton étang. Attention, tu pourrais sursauter en voyant un reflet qui te paraîtra étrange. Une demoiselle-fée est un peu différente des fées des contes que tu connais. En gros, tu as l'allure d'une jeune fille de douze ans. Sauf que de la racine de tes cheveux au bout de tes orteils, tu es d'un beau

bleu azur. Certains endroits de ton corps, tes chevilles, tes genoux, tes poignets, tes coudes et ton cou,
sont annelés d'un turquoise qui se dégrade jusqu'au
vert pomme. As-tu remarqué que tes pieds ne pos-
sèdent que deux orteils chacun? Pour ce qui est de
tes bras, tu en as quatre! Si tu fais bouger les muscles
de ton dos, deux paires d'ailes s'y déploieront. Vois-tu
comme elles sont longues, minces et transparentes,
semblables à celles des libellules? Les demoiselles
et les libellules sont des insectes qui se ressemblent
beaucoup.

Baisse-toi un peu plus vers ton reflet pour observer tes yeux bleus. Ils sont au moins trois fois plus
grands que ceux des humains. Tes oreilles, elles, ont
la forme allongée des fleurs de tulipes refermées. Tes
cheveux violets sont courts et si légers qu'ils dansent
dans l'air à la moindre brise. Ils sont aussi doux que
les aigrettes blanches des pissenlits. On a l'impression que si on soufflait dessus, ils s'envoleraient au gré
du vent. À travers ce fouillis violet, tes deux antennes
pointent vers le ciel.

Et si tu te penches encore plus… tu vas tomber dans l'eau !

Ta vie

Aujourd'hui, il a fait particulièrement beau. Malgré l'après-midi qui tire à sa fin, le soleil plombe encore sur le marais où tu vis depuis toujours avec ton meilleur ami, Gargouille, le crapaud. Vous jouez aux bajoues d'eau. Gargouille remplit ses joues d'eau jusqu'à ce qu'elles se gonflent et s'étirent comme de gros ballons jaunes. Quand il te met la patte dessus, tu te retrouves mouillée de la tête aux pieds.

Maintenant, le jeu est fini. Étendue sur la berge de ton étang, ventre contre terre, tu fais sécher tes ailes. Autour de toi, les libellules et les demoiselles vont et viennent sans tracas et par dizaines. Si elles sont si nombreuses, c'est que Gargouille est le seul batracien de l'étang, et que les libellules et leurs cousines te ressemblent beaucoup trop pour qu'il les gobe. Installé près de toi, il déplie sa langue collante pour attraper les insectes qui t'embêtent : les mouches, les pucerons et les moustiques. À l'image des gargouilles des temps anciens, Gargouille veille sur toi. Il adopte une position semblable à celle de ces créatures taillées dans la pierre : accroupi, les genoux à la hauteur des yeux, immobile. C'est de cette attitude protectrice et de son apparence un peu hideuse que lui vient son nom.

Gargouille et toi êtes nés le même jour. Il y a douze ans, la maman de Gargouille a pondu près de cinq mille œufs. Elle les a disposés en longs cordons gélatineux sur des plantes aquatiques. Peu après, une créature des plus étranges, affolée, poursuivie par un homme et son chien, s'est posée au même endroit. Personne n'avait jamais vu un tel être dans le coin. D'apparence vaguement humaine, elle avait, entre autres, la couleur, la minceur et les ailes d'une demoiselle. Heureusement, le chien qui en avait après elle grisonnait du poil. Il ne courait plus très vite, et son flair avait perdu de sa finesse.

Pendant que le chien fouillait les roseaux en reniflant, la truffe dans la vase, et que son maître lui hurlait des insultes, la demoiselle-fée a découvert les œufs brunâtres de la mère crapaud. Elle n'a hésité qu'une seconde avant d'ouvrir la main et de déposer une dizaine de petites perles bleu azur au milieu des œufs de crapaud. Ensuite, elle a fui loin de ce marais. Une seule personne a été témoin de cette scène : une vieille magicienne comme il en existe une dans chaque marais, chaque forêt et chaque montagne du monde. Une magicienne dont le rôle est de veiller sur l'équilibre de la nature.

Le premier animal à ramper vers les œufs abandonnés fut une couleuvre à collier. La magicienne la mit en déroute en prenant tout simplement l'apparence d'un héron. Le deuxième jour, c'est un hérisson qui prit la fuite devant l'aspect de la magicienne, celui d'un blaireau affamé. Puis, un putois est arrivé. Peu impressionné par l'imitation d'un lynx, il s'est jeté sur les œufs et les a presque tous avalés. Quand cet animal au pelage brun et à l'odeur nauséabonde a quitté l'étang, il ne restait que deux œufs, collés l'un contre l'autre. Un brun et un bleu. La vieille magicienne s'est alors transformée en homme. À partir de ce moment, aucun animal, petit ou grand, oiseau ou mammifère, n'a osé tendre la patte, le cou ou la langue en direction des œufs. Quelques jours plus tard, ils ont éclos. Minuscules, un têtard brun et une larve bleue en sont sortis.

La vieille femme a alors prononcé des mots enchantés :

— Par la magie de Cornélia, qu'un charme vous protège jusqu'à ce que vous soyez assez forts pour veiller l'un sur l'autre.

Puis, elle s'est changée en une corneille blanche et s'est envolée vers les nuages. Depuis, aucune créature du marais n'a revu Cornélia.

Ton aventure

Au moment où tu t'éveilles sur ton lit de mousse, le soleil est déjà haut dans le ciel. Tu t'étonnes d'avoir fait la grasse matinée. D'ordinaire, le chant de ton ami crapaud te tire du sommeil à l'aube. Pourtant, ce matin, le silence règne dans tout le marais. Tu t'inquiètes. Gargouille serait-il souffrant ? À moins que ce coquin veuille jouer à cache-cache ?

Tu défripes tes quatre ailes transparentes. Pour ça, pas besoin d'un fer à repasser; tu n'as qu'à les agiter doucement. D'une paire de mains, tu ébouriffes les cheveux violets qui te collent à la tête. En même temps, de ta deuxième paire de mains, tu t'asperges le visage d'eau. Te voilà prête à partir à la recherche de Gargouille! Tu avances vers l'étang en te frayant un passage entre les roseaux et les bouquets de quenouilles. À part le silence, tout te paraît normal dans les environs. Au-dessus de l'eau, libellules et demoiselles font des pirouettes. Tu demandes aux insectes colorés :

— L'une de vous a-t-elle vu Gargouille?

Tu dois savoir que les demoiselles-fées peuvent communiquer avec tous les animaux et toutes les créatures connues. Les réponses à ta question t'apprennent bientôt que ni les libellules ni les demoiselles n'ont vu Gargouille depuis le dernier coucher du soleil.

C'est alors qu'un croassement rauque chasse les insectes loin de toi. Le croassement n'est pas le cri du crapaud, malheureusement, mais celui des corneilles et des corbeaux. En levant les yeux vers la cime d'un arbre, tu aperçois effectivement un oiseau. Son plumage est blanc. Malgré ce détail, tu sais qu'il s'agit d'une corneille. Même si personne ne l'a vue depuis douze ans, tu as souvent entendu parler d'elle. C'est Cornélia, la vieille magicienne. Elle peut prendre l'apparence qu'elle veut, mais sa préférée est celle de la corneille blanche. D'après la légende, son rôle est de veiller sur les habitants du marais. Sa présence indique donc que quelque chose de grave s'est produit. La disparition de Gargouille n'a probablement rien à voir avec un jeu…

✿ **Il est encore temps de fermer ce livre et de redevenir toi-même. Mais si tu choisis de te lancer dans cette aventure, va vers Cornélia en continuant ta lecture à la page suivante. En avant!**

❀❀❀ En avant! ❀❀❀

❀ section 1 ❀

Tu marches en direction de l'arbre. Arrivée sous la branche où est perchée la corneille, tu t'arrêtes.

— Cornélia! l'appelles-tu. Savez-vous où est passé Gargouille, le crapaud?

La corneille secoue une patte. Comme si cette patte blanche aux griffes roses était une baguette magique, son corps de plumes devient celui d'un crapaud verruqueux. À cause de sa peau visqueuse, l'animal, en tous points semblable à Gargouille, se met à glisser lentement de sa branche. Il s'y accroche de justesse avec ses pattes avant. Puis, le batracien se transforme en garçon humain. Pendu à la branche par les bras, il se redresse d'une culbute et s'y assoit. L'humain disparaît alors, laissant de nouveau place à la corneille blanche.

— Gargouille s'amuse avec les garçons de son âge, te répond la magicienne.

— Les garçons? répètes-tu, éberluée. Gargouille n'est pas un humain!

La vieille magicienne est-elle en train de perdre la boule? Quel âge peut-elle bien avoir? Cinq cent huit ans, si tu te fies aux rumeurs et aux légendes.

— Très tôt ce matin, un petit garnement a attrapé ton ami le crapaud, t'informe Cornélia. J'ai dû intervenir afin de lui éviter de finir dans une boîte en carton. Je l'ai transformé en garçon! Par malheur, mon sort lui a fait oublier qu'il est un crapaud.

— Retrouvera-t-il bientôt son apparence de batracien? questionnes-tu l'oiseau blanc.

— Bientôt? Ce détail dépend de toi, Énalla. Pour rendre son corps à Gargouille, tu devras embrasser le garçon qu'il est devenu.

Les mots de la corneille ont un drôle d'effet sur toi. Ta bouche s'ouvre au ralenti. Ta mâchoire tombe vers le bas. Tes yeux deviennent si grands qu'on dirait des balles de tennis. Un peu plus et ils bondiraient hors de ta tête pour aller assommer la vieille magicienne.

— Moi! embrasser un garçon humain? Beurk! Jamais! te révoltes-tu.

— Tu devras pourtant le faire, si tu veux revoir ton meilleur ami, Énalla, croasse Cornélia.

Tu te dis que, pour commencer, il faudra le retrouver, cet ami! Et pour y arriver, tu dois savoir de quoi il a l'air. Les petits garçons sont comme les têtards au printemps, il en grouille dans tous les coins.

— À quoi ressemble Gargouille, depuis sa transformation? te renseignes-tu.

— Qui?

La magicienne se remet à croasser. Elle secoue la tête d'un bord, puis de l'autre. À la façon dont elle te regarde ensuite, on croirait qu'elle ne t'a jamais vue de sa vie. Tu te doutais bien qu'elle avait une araignée au plafond. À force d'en manger, il y en a une qui a fini par lui monter au cerveau.

Que fais-tu, demoiselle-fée?

✿ Si tu insistes auprès de Cornélia pour obtenir une description de Gargouille, va à la **section 15**.

✿ Si tu décides de te débrouiller toute seule, va à la **section 20**.

✿ section 2 ✿

Ces enfants ne sont pas faciles à suivre. Heureusement que tu as deux paires d'ailes! Ils galopent à toutes jambes sans prendre gare aux racines et autres obstacles terrestres. Un peu inquiète pour eux, tu as les yeux fixés sur le sol et ses dangers. Et voilà que, en pleine course aérienne, tu pousses un cri et tombes à la renverse. Tu as été surprise par un visage humain... au milieu du feuillage d'un arbre! À la force de tes ailes, tu te redresses et te hisses vers celui qui t'a fait sursauter. C'est un garçon, et il est assis sur une branche de l'arbre. Comment est-il monté jusque-là? Aurait-il bondi comme l'aurait fait un crapaud? Sans lui poser la question, tu t'élances vers le petit acrobate. Volant sur place à la façon des colibris, tu prends une grande respiration afin de pouvoir retenir ton souffle et tu lui plaques un baiser sur la joue. À quelques centimètres de la face du garçon, tu attends de voir ce qui va se produire. Il se passe bien quelque chose… Oui, une transformation s'est enclenchée! D'abord, les yeux du garçon s'arrondissent comme ceux d'un batracien. Ensuite, son visage change de couleur. Il devient… tout rouge!

Rouge? Les crapauds ne sont pas rouges!

— Je suis amoureux, murmure le garçon.

Et voilà qu'il tend l'autre joue vers toi! Il réclame un second baiser… Ah, non! Il n'en est pas question! Les garçons te donnent des boutons. Maintenant que l'espoir de voir cet humain devenir un crapaud s'est envolé, tu préférerais embrasser cent fois le derrière d'une moufette plutôt que lui. Tu te retiens à quatre mains pour ne pas fuir le plus loin possible de ce garçon qui joue au prince charmant. Qui sait, ce petit coquin acceptera peut-être de t'aider dans tes recherches. Car, pour ce qui est des enfants que tu suivais, au rythme où ils cavalaient, ils sont déjà loin. Inutile de penser à les rattraper.

Que fais-tu, Énalla?

✿ Si tu écoutes ton instinct, qui te crie de t'enfuir au plus vite dans la forêt, descends te poser au sol et déguerpis à la **section 35**.

✿ Si tu demandes plutôt de l'aide au garçon, va à la **section 9**.

✿ section 3 ✿

Tu voles si vite que tu ne peux pas t'arrêter avant l'impact. Tu vas t'aplatir sur une grosse planche de bois qu'on a clouée sur le tronc d'un arbre. Le temps de reprendre tes esprits, une belle prune mauve t'a poussé sur le front. On dirait un troisième œil. Par contre, il ne t'est d'aucune aide pour lire l'écriteau sur lequel tu t'es écrasée comme une mouche sur le pare-brise d'une voiture.

«Camping La hutte du castor», y est-il inscrit.

Sur la pancarte, une flèche indique également le chemin à suivre pour arriver dans ce lieu où les humains se regroupent comme… des castors dans une hutte. Avec bon espoir d'y trouver ton ami Gargouille, tu empruntes la direction pointée par cette flèche. Elle te conduit à une deuxième flèche, puis à une troisième, et ainsi de suite. Tu finis par te rendre à l'évidence : tu tournes en rond depuis un moment ! Un petit plaisantin a déplacé les flèches. Impossible de t'y fier pour trouver le chemin du camping. Par chance, tu découvres bientôt un autre écriteau. Cette fois, c'est un plan.

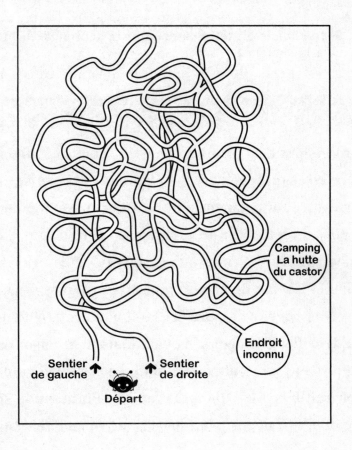

Étudie bien le plan à la page précédente et trouve lequel des deux sentiers te mènera au camping La hutte du castor.

❀ Si tu choisis de suivre le sentier de gauche, va à la section 11.

❀ Si tu choisis plutôt d'emprunter le sentier de droite, va à la section 23.

❀ section 4 ❀

Tu finis par t'endormir au pied du sapin. À l'aube, tu découvres en t'éveillant qu'un enfant est venu se coller contre toi pendant la nuit. Il dort profondément. Il ronfle même ! Tu le repousses en te levant d'un bond. Beurk ! Tu n'as qu'une envie, courir te jeter dans la piscine du camping où tu te trouves pour te laver de l'odeur de porcelet farci aux crottes de nez qui te colle sûrement à la peau. Mais tu te raisonnes. Tu n'as pas fait tout ce chemin pour rien ! Ce garçon pourrait bien être ton ami crapaud. Profitant de son sommeil, tu déposes un baiser sur sa joue. Du bout des lèvres. Tu l'as à peine frôlé. Mais il n'en faut pas plus pour que le sortilège de la vieille corneille se brise. Tandis que le soleil se lève en colorant le paysage autour de vous, le garçon redevient un crapaud. L'animal ouvre en grand deux yeux globuleux. Il te sourit et étire sa longue langue pour te chatouiller la joue d'un baiser gluant de crapaud. Une bonne odeur de marais envahit l'air !

Gargouille avait peut-être oublié qu'il était un crapaud, mais jamais il n'a oublié que tu étais son amie ! C'est donc avec ce petit batracien sur ton épaule que tu retournes enfin vers ton marais.

Bravo, tu as réussi ton aventure !

✿ Va à la **section 84**.

✿ section 5 ✿

Tu marches un bon moment avant de percevoir des murmures. Tes oreilles en tulipe s'ouvrent en grand. Les sons que tu entends n'ont rien à voir avec le jappement d'un renard, le ronronnement d'un raton laveur ou le couinement d'un mulot. Ce sont des voix humaines !

À quelques mètres devant toi, tu finis par apercevoir deux enfants : un garçon et une fille. Un panier à la main, ils cueillent des fruits et des champignons. En prenant soin de rester cachée derrière les arbres, tu t'approches d'eux jusqu'à pouvoir sentir l'odeur des chanterelles et des pleurotes. Et celle du garçon... Tu te bouches aussitôt le nez. Pouah ! En comparaison, les champignons sentent la rose ! C'est l'idée de retrouver Gargouille avant qu'il ne s'éloigne trop du marais qui te redonne du courage. Avant que le garçon ait conscience de ta présence, tu te jettes sur lui pour lui plaquer un baiser sur la joue. Tout en hurlant comme si tu avais mis le feu à ses vêtements, il recule de plusieurs pas. Pendant que tu t'essuies vigoureusement les lèvres, il fait de même avec sa joue. À l'intérieur de toi, ton cœur s'est mis à flotter. Tu as l'impression que ton corps s'est empli d'eau boueuse qui te chatouille le fond de la gorge. Y-a-t-il un acte plus répugnant que d'embrasser un garçon ? À côté, les escargots baveux que Gargouille avale sont certainement délicieux.

— Qui es-tu, toi ? te demande le garçon, abasourdi.

Il est toujours aussi rose, laid et puant. Ton baiser ne l'a pas transformé.

— Désolée, t'excuses-tu. Je t'ai pris pour quelqu'un d'autre.

Les deux enfants te dévisagent. Leurs yeux sont sur le point de sortir de leurs orbites pour tomber dans leur panier et se mêler aux champignons. Ils inspectent ensuite ton corps des pieds à la tête. Tes quatre orteils et ta peau bleue cerclée de vert les laissent muets. À moins que ce ne soit tes ailes ou tes cheveux violets qui leur font cet effet ? Peu importe. Ce garçon et cette fille auront beau raconter ce qu'ils voudront, aucun adulte ne croira qu'ils ont vu une créature telle que toi dans la forêt.

Les laissant en plan, tu t'envoles pour aller te fondre à travers le feuillage d'un arbre. Là, à l'abri des regards, tu hésites sur la prochaine étape de ton expédition de sauvetage.

Quelle sera-t-elle, Énalla ?

❀ Si tu pars à la recherche d'un autre garçon,
va à la section 42.

❀ Si tu attends que les enfants se mettent en route
pour les suivre en secret, va à la section 16.

❀ section 6 ❀

Des glands continuent de tomber du chêne ainsi que des feuilles. L'une d'elles tourbillonne et atterrit à tes pieds. Tu la ramasses. Il y a des inscriptions dessus. En y regardant de plus près, tu comprends qu'il s'agit d'un rébus que tu dois résoudre afin que la porte s'ouvre et que tu puisses entrer dans le grand chêne.

Regarde bien chaque dessin à la page suivante
avant de donner ta réponse, Énalla.

❀ Si tu penses avoir trouvé la bonne solution à ce
rébus, va à la section 54.

❀ Si la solution t'échappe, va à la section 49.

PAR J DE
A ,
VRE

❧ section 7 ❧

N'écoutant que ton courage, tu ramasses un gland tombé de l'arbre et le lances à l'oiseau à tête de loup. Ses mâchoires claquent à deux centimètres de ton visage. Ses dents tranchantes coupent une mèche de tes courts cheveux violets qui s'envolent dans le vent comme les aigrettes blanches d'un pissenlit. La mâchoire du loup s'ouvre à nouveau. Tandis que tu recules, ton talon bute contre la racine d'un arbre. Tu bascules vers l'arrière. Étendue de tout ton long, tu vois l'animal avancer vers toi.

Que fais-tu, Énalla ?
Tu n'as qu'une seconde pour te décider !

✿ Si tu attrapes une branche pour te défendre, va à la **section 10**.

✿ Si tu fais semblant d'être morte, rends-toi à la **section 21**.

✿ section 8 ✿

De peur que l'enfant se retourne et te surprenne, tu ne le quittes pas des yeux. Après avoir glissé ta main dans son sac, tu tâtonnes à l'aveuglette. Tes doigts rencontrent finalement une chose longue et douce qui les chatouille. Tu t'en empares et te sauves à tire-d'aile. Ce n'est qu'une fois hors de vue du chasseur d'escargots que tu ouvres la main pour constater que tu lui as pris... une plume ! Cette plume est d'un blanc si parfait qu'elle ne peut appartenir qu'à un seul oiseau. La vieille corneille magicienne! Tu te souviens alors d'une légende à propos des plumes de Cornélia. Elles permettent de faire un vœu...

Quel sera le tien, demoiselle-fée?

❀ **Si tu fais le vœu de te retrouver devant Gargouille, va à la section 61.**

❀ **Si tu remets la plume dans le sac du garçon (après tout, elle n'est pas à toi) et que tu suis les empreintes de batraciens, va à la section 73.**

❀ section 9 ❀

Pendant que le garçon te dévisage avec des yeux de merlan frit, tu lui racontes l'histoire de la disparition de ton ami Gargouille.

— Aurais-tu vu un garçon de ton âge? l'interroges-tu ensuite. Quelqu'un qui serait nouveau dans le coin.

— Je ne vois plus que toi, jolie demoiselle-fée, te chuchote l'enfant de la voix mielleuse des amoureux.

Il se met debout sur la branche et, au risque de se casser la figure, il tend les bras vers toi pour te faire un câlin. Tu prends alors conscience de ton erreur. L'amour rend ce garçon aussi bête qu'un zombie. Et aussi dangereux! D'ici quelques secondes, il pourrait bien se mettre à baver. S'il accroche ses bras autour de toi, il ne te laissera plus jamais repartir!

Il n'est pas trop tard pour fuir, Énalla!

✿ Si tu files vers la gauche, va à la **section 3**.

✿ Si tu détales plutôt vers la droite, va à la **section 14**.

✿ section 10 ✿

L'abominable bouche s'ouvre en grand au-dessus de toi. Tu n'as pas le temps de réagir que tu as soudain l'impression d'être entraînée de force dans un parc d'attractions! Tu passes d'une glissade d'eau aux montagnes russes sans pouvoir reprendre ton souffle. Puis, tu te fais ballotter de tout bord tout côté comme si tu étais dans une auto tamponneuse. Et voilà que tu dévales à nouveau une pente pour chuter dans un lac de liquide jaunâtre et malodorant. C'est épais et visqueux. En reprenant tes esprits, tu comprends que cet endroit obscur n'a rien d'un parc d'attractions. Tu es dans l'estomac de la bête! Elle t'a avalée!

Ne reste pas dans le corps d'Énalla,
reprends ta propre identité!

✿ Va à la section 83.

✿ section 11 ✿

Au bout de quelques minutes, tu n'as plus aucun doute. Tu es sur le bon chemin! Des rires, de la musique et des cris viennent à tes oreilles. Mais le temps que tu te faufiles à l'intérieur du camping, la nuit est tombée. Tu te dis que c'est une chance, car tous les enfants seront au lit. Tu es certaine que seul un petit garçon-crapaud sans parents pour veiller sur lui sera encore dehors dans le noir. Tu te trompes, Énalla! Un immense feu est allumé au milieu du terrain. Enfants et adultes y font griller des guimauves, des saucisses et des tranches de pain. Juste à l'odeur, ton estomac se met à gargouiller. Tu as bien envie de te joindre à ce festin. Mais tu ne peux pas. Que se passerait-il si un adulte te voyait? Tu n'oses même pas l'imaginer!

En espérant que ton ventre qui crie famine ne te fera pas découvrir, tu te diriges vers deux garçons qui se renvoient un ballon avec les pieds, un peu à l'écart des autres. L'un d'eux est particulièrement maladroit. Serait-ce la première fois qu'il pratique cette activité? Bien entendu, tu te demandes s'il pourrait s'agir de Gargouille...

Tu dois prendre une décision pendant que l'obscurité joue en ta faveur, demoiselle-fée.

✿ Si tu restes cachée derrière un sapin décoré de lumières colorées en attendant que la majorité des humains gagnent leur lit, va à la **section 4**.

✿ Si tu t'approches du joueur de ballon maladroit sur la pointe de tes quatre orteils, va à la **section 24**.

✿ section 12 ✿

En survolant le marais, tu aperçois des silhouettes connues. Celle, haute et mince, de Bubulcus, le héron. Une autre, petite, ronde et poilue, appartient à Arvi, le rat musqué. Puis, il y a celle, rampante, de Natrix, la couleuvre à collier. Gargouille, lui, demeure introuvable. Où a-t-il bien pu passer? Soudain, repérant une tache du même vert brunâtre que la peau de ton ami le crapaud, tu te rapproches du sol. Là, tu comprends avoir affaire à un petit humain en imperméable et en bottes de pluie. Enfoncé dans la vase jusqu'aux chevilles, il agite un pot de verre sous son nez. Dedans, six escargots se sont réfugiés dans leur maisonnette personnelle. Le cliquetis des coquilles qui frappent contre le verre amuse l'enfant. Il a de la confiture de fraise tout le tour de la bouche et de la tartinade de chocolat sous les ongles. Quel petit malpropre! penses-tu en grimaçant.

Afin de continuer à observer ce garnement sans être vue, tu te recroquevilles derrière un rideau de quenouilles. Le garçon a laissé son sac à dos sur un rocher qui se trouve juste devant ta cachette. Et si Gargouille était prisonnier de ce sac? Alors que tu tends le bras entre les quenouilles pour te saisir du sac, tu remarques des traces dans la boue. Ce sont de petites empreintes à quatre doigts. Celles d'une grenouille, d'un triton ou d'un crapaud…

Que fais-tu, Énalla ?

✿ **Si tu risques de te faire surprendre en regardant dans le sac du chasseur d'escargots, va à la section 8.**

✿ **Si tu déguerpis discrètement pour suivre les empreintes de batracien, va à la section 73.**

✿ section 13 ✿

Un long moment passe avant que tu croises un être vivant sur ce sentier. C'est une petite fille en robe rose. Puisqu'elle n'a pas plus de cinq ans, tu en déduis que ses parents ne sont pas bien loin. Tu restes donc sur tes gardes. La fillette a rassemblé en bouquet les rares fleurs qui étaient encore en terre autour d'elle. De grosses larmes roulent sur ses joues.

— Pourquoi pleures-tu ? lui demandes-tu en oubliant toute prudence.

Elle lève la tête vers toi. Tu t'attends à ce qu'elle s'enfuit en hurlant à la vue de tes antennes et tes yeux énormes.

— Je suis perdue, te répond la petite en reniflant.

Ouf, elle n'a pas peur de toi !

— Je ne peux pas t'aider, t'excuses-tu. Je suis perdue, moi aussi.

— La corneille blanche a dit que ces fleurs sont magiques, t'informe la fillette. Si je trouve celle qui est différente des autres et que je souffle dessus, je vais retourner dans mon village par magie. Mais si je ne choisis pas la bonne fleur, mon souffle m'éloignera encore plus de chez moi.

Elle a à peine fini son explication que sa mère l'appelle. Laissant tomber le bouquet de fleurs, l'enfant court lui sauter dans les bras.

❀ **Trouve quelle fleur est différente des autres et va à la section qui correspond au numéro de cette fleur.**

Examine bien toutes les fleurs, Énalla. Alors, sur laquelle souffles-tu? Où apparaîtras-tu?

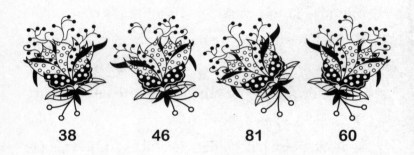

| 38 | 46 | 81 | 60 |

❀ section 14 ❀

Tu te retrouves près d'une petite mare. En pleine forêt! C'est un endroit magnifique, recouvert de nénuphars aux fleurs roses, violettes et jaunes. Tandis que tu t'avances vers l'eau, une très belle jeune fille en émerge. Sa peau est blanche, et ses longs cheveux ont le brun doré des épis de quenouille. Quand elle s'élance dans les airs en accomplissant des acrobaties dignes d'un dauphin, tu vois qu'au lieu de jambes, elle a une queue de poisson.

— Viens, demoiselle-fée, t'invite-t-elle d'une voix incroyablement belle et douce. L'eau est bonne !

Tu aimerais tant devenir l'amie de cette sirène que tu en oublies Gargouille. Tu plonges dans la mare pour nager à ses côtés avec les poissons. Vous faites rapidement connaissance. Vous vous amusez tellement ensemble que tu perds complètement la notion du temps. Tu n'as pas conscience que les heures filent les unes après les autres.

— Tu resteras avec moi pour toujours, décide la sirène dans un rire. J'étais si seule ici, sans toi.

Mais à ces mots, le sort de ton ami crapaud te revient à l'esprit. Alors que tu racontes ton histoire à ta nouvelle amie, son beau sourire chavire. Elle insiste pour que tu demeures auprès d'elle. Dans ta tête, deux voix commencent à se disputer. Gargouille te supplie de repartir à sa recherche, tandis que la sirène refuse catégoriquement que tu la quittes.

✿ Si tu écoutes la voix de la sirène, va à la section 64.

✿ Si tu écoutes plutôt la voix de Gargouille, rends-toi à la section 5.

✿ section 15 ✿

En quelques battements d'ailes, te voilà nez à nez avec la corneille. La surprise la fait sursauter et elle glisse de sa branche, à laquelle elle se raccroche avec son bec.

— Vous avez des ailes, Cornélia, lui rappelles-tu.

Tu prends l'oiseau dans tes mains et tu le réinstalles confortablement sur sa branche.

— S'il vous plaît, Cornélia, faites un effort! la supplies-tu. C'est vous qui avez transformé Gargouille en garçon. Vous avez sûrement vu à quoi il ressemble.

— Gargouille? répète la vieille magicienne. À l'heure qu'il est, ce crapaud dodu est sûrement dans une poêle en train de rôtir avec du beurre à l'ail.

— Non! t'exclames-tu. Vous avez transformé Gargouille en humain. On ne fait pas cuire les petits garçons!

Une lumière s'allume dans les yeux de la corneille blanche. Serait-elle en train de se souvenir?

— Un garçon, oui...

Les paupières de l'oiseau se mettent à clignoter rapidement. On dirait que chercher une information à propos de Gargouille active des parties encore inexplorées de son cerveau.

— Il a deux yeux, affirme enfin la corneille. Deux bras. Deux jambes. Deux oreilles.

Tu pousses un long soupir. Après tout, il est vrai que les garçons humains se ressemblent tous. Tu t'apprêtes à regagner le sol lorsqu'une idée affreuse s'insinue dans ton esprit. Et si tu devais embrasser des dizaines de garçons avant de trouver Gargouille parmi eux? Ou même des centaines? À cette perspective, tu te sens devenir aussi verte que ton bon ami crapaud.

— Vous n'avez pas un petit indice de plus pour moi? persévères-tu.

C'est alors que la corneille se change en écureuil et file vers le sol en tourbillonnant à toute allure autour du tronc de l'arbre.

Un écureuil? Est-ce un indice supplémentaire? Il est plus crédible de penser qu'une deuxième araignée a atteint le cerveau fragile du vieux volatile.

Il est temps de prendre à nouveau une décision, Énalla.

✿ Si tu cherches un autre animal du marais à interroger, rends-toi à la **section** 18.

✿ Si tu préfères te diriger vers la forêt, va à la **section** 42.

✿ section 16 ✿

Ces enfants te mèneront peut-être là où vivent leurs semblables, là où Gargouille est sûrement parti. Le problème, c'est qu'ils sont si troublés par ce qu'ils ont vu (c'est-à-dire toi) qu'ils restent figés. Ils sont aussi immobiles que des statues de pierre. La fille est la première à se rappeler comment faire bouger sa langue.

— Ça va, frérot? demande-t-elle au garçon.

Frérot ne répond pas. Il ne fait que hocher la tête de bas en haut.

— Qu'est-ce que c'était? veut savoir la fille.

Ils se remettent lentement de leurs émotions. Pendant ce temps, du haut de ton arbre, tu aperçois une petite mare d'eau brune. Un objet mou et rouge y flotte. Est-ce un chandail? Tes antennes s'agitent. Et si Gargouille avait retiré les vêtements inconfortables qui l'ont sûrement enveloppé lors de sa transformation en humain?

Les enfants sont en train de ramasser les derniers champignons tombés de leur panier.

Les suivras-tu, demoiselle-fée?
Hâte-toi de prendre une décision,
car ils sont sur le point de partir.

✿ Si tu te lances derrière les enfants, vole à la **section 2**.

✿ Si tu vas plutôt voir sur quelle piste peut te mener ce qui ressemble drôlement à un chandail rouge, descends à la **section 22**.

❖ section 17 ❖

Le chasseur d'escargots s'impatiente.

— As-tu trouvé la solution? te presse-t-il de lui répondre.

— L'animal préféré des aveugles est la femelle du canard, lui dis-tu.

❖ Si «la femelle du canard» ou «la cane» est bien la réponse que tu as trouvée, va à la section 69.

❖ Si la réponse que tu as trouvée est plutôt «le chien», va à la section 47.

❖ Si tu as trouvé une autre réponse, ou pas de réponse du tout, va à la section 71.

❖ section 18 ❖

En battant de tes quatre ailes, tu redescends vers le sol vaseux du marais. L'endroit est vraiment trop tranquille... Le garnement qui s'en est pris à Gargouille a sans doute fait fuir tous les animaux. Tout à coup, tu as un éclair de génie! Tu penses à Chélonie, la tortue. Malgré sa peur des humains, cette traînarde n'a pas pu aller bien loin. Tu t'élèves à nouveau dans les airs. Rapidement, tu repères la tortue. Elle progresse lentement entre deux étangs. Cependant, ton regard est attiré ailleurs. Dans la vase qui entoure ton étang, il y a des traces de bottes!

Tu hésites. Devrais-tu aller interroger Chélonie, ou suivre les traces dans la vase? Si les empreintes ne te conduisent nulle part, la tortue sera-t-elle encore là quand tu reviendras?

Quelle est ta décision, Énalla?

❁ Si tu rejoins Chélonie la tortue, vole à la **section 37**.

❁ Si tu décides plutôt de suivre les traces de bottes, va à la **section 5**.

❁ section 19 ❁

Tu es certaine que ce garnement couvert de boue te monte un bateau. Il n'est toutefois pas le seul à être capable de mentir!

— Merci pour ton aide, lui dis-tu. Je vais aller vérifier si Gargouille est au camping.

Soulagé, le garçon baisse les poings et relâche sa garde. Tu en profites pour te précipiter vers lui d'un battement de tes quatre ailes et lui heurter le nez d'un bécot. Et là, miracle ! Le garçon crotté se métamorphose en crapaud ! Il sautille sur place sur ses cuisses maigrelettes. Sa peau a une vilaine couleur brunâtre... Tu ne reconnais pas ton ami.

« Gargouille n'est pas le premier crapaud que la vieille Cornélia a transformé en humain », comprends-tu, un peu déprimée.

— N'abandonne pas, demoiselle-fée, te coasse le crapaud brun. Tu m'as trouvé, tu le trouveras aussi. Je t'ai menti. Le garçon dont je t'ai parlé n'existe pas. Mais l'instinct de Gargouille le conduit auprès des hommes, ça, je le sais. Il doit être en route pour le village le plus près. Bonne chance !

Partant en bondissant, le crapaud brun laisse son sac à dos derrière lui. Dès qu'il est hors de vue, un petit être pas plus haut qu'une pomme sort de ce sac et fonce sur toi en trottant sur ses quatre pattes. Il t'égratigne la peau d'une jambe en l'escaladant. Il monte le long de ton ventre, puis d'un de tes bras, et il s'installe sur ton épaule. Il a tout d'une souris blanche, sauf que sa queue rayée ressemble à celle des ratons laveurs. Sa face est presque humaine, malgré des dents pointues et deux grandes oreilles molles qui lui pendent sur les joues.

— Trouve la réponse à ma charade, te souffle-t-il à l'oreille, et je t'aiderai à te rapprocher de ton but, jolie demoiselle-fée.

Tu as peur qu'il te morde l'oreille, mais il se contente de tirer dessus, comme s'il voulait s'assurer que tu l'écoutes attentivement. Sans attendre ton accord, il t'expose sa charade.

— Mon premier est un animal. Mon deuxième est un animal. Et mon tout est un animal.

— Tu n'es pas sérieux! t'écris-tu. Sois un peu plus précis!

Le petit être lève les yeux au ciel, mais il consent à éclairer ta lanterne.

— Mon premier est un grand mammifère dont le petit est couvert de taches blanches. Mon deuxième est de la même couleur que toi, et son nom ressemble beaucoup à celui du petit de mon premier. Mon tout est un reptile qui pourrait bien te faire très peur.

Penses-y bien avant de répondre, Énalla!

❀ Si tu penses avoir trouvé de quel reptile il s'agit, va à la section 82.

❀ Si tu ne trouves pas la réponse à cette charade, ou si tu préfères refuser l'aide de cette étrange petite créature aux dents de monstre, repars au hasard de la forêt en allant à la section 60.

❀ section 20 ❀

D'abord, tu dois trouver un indice digne de ce nom. Les garçons ne s'évaporent pas au soleil sans laisser de traces! Tu retournes donc vers ton étang et tu le survoles en examinant soigneusement les alentours. Bingo! Dans la boue, il y a des traces de bottes. Pendant un moment, tu t'énerves, tu virevoltes d'un bord à l'autre en frémissant des ailes. Où mènent ces traces de bottes? Bonne question! Des pas s'enfoncent dans le marais, tandis que d'autres vont vers la forêt. D'après toi, un chemin conduit à l'enfant qui a voulu attraper Gargouille, et l'autre à ton ami crapaud. Lequel emprunter?

Le marais est ton domaine. Ici, tu ne crains rien. Mais la forêt est plus dangereuse. Au-delà se trouvent les routes et les maisons des humains...

Par où poursuis-tu tes recherches, demoiselle-fée?

✿ Si tu t'envoles pour suivre les traces de bottes qui parcourent le marais, va à la section 12.

✿ Si tu suis la piste qui va vers la forêt, rends-toi à la section 31.

✿ section 21 ✿

Couchée sur le dos, tu relâches tous les muscles de ton corps. Tu espères qu'en te croyant morte, l'affreux rapace te laissera en paix et s'en ira. Tu cesses complètement de bouger. Tu retiens même ta respiration. Mais contrairement à ce que tu as imaginé, les serres de l'aigle-loup t'agrippent solidement. L'affreux volatile s'envole en t'emportant! La panique monte en toi en même temps qu'il monte dans les airs et qu'il dépasse la cime des arbres. Malgré tout, tu parviens à rester calme et immobile. Tu continues à faire semblant d'être morte. Pour l'instant, tu es encore en vie, et c'est ce qui compte.

L'énorme oiseau à tête de loup t'emmène au-delà de la forêt, dans les montagnes. Il niche dans un trou creusé dans le flanc d'un haut rocher. Soudain, il ouvre ses serres et te laisse choir dans son nid. Son abri est fait de poils, de plumes, de brindilles et d'os de petits animaux. Là, au milieu de neuf oisillons à tête de loup, un garçon dort à poings fermés. Étant donné le nombre de bouches qu'il a à nourrir, le rapace repart sans tarder en quête de proies. Dans le nid, un oisillon remue. Bousculant son voisin, il crée un effet domino. En moins de temps qu'il n'en faut pour dire «lapin», toute la nichée te regarde de ses dix-huit petits yeux jaunes. Les oisillons sont affamés! L'un d'eux te picore déjà une cuisse, tandis que d'autres tirent sur les cheveux du garçon comme s'il s'agissait de vers de terre.

Vite, tu embrasses le garçon. Étrangement, tu n'es pas dégoûtée. Tu ne te sens pas devenir verte. Le garçon, par contre, verdit à vue d'œil... Et une seconde plus tard, il disparaît. Voilà qu'à sa place, ton ami Gargouille te sourit de sa large gueule de batracien! Le crapaud saute dans ta main et tu t'envoles en l'emmenant loin des becs tranchants des bébés carnivores.

Bravo, tu as sauvé Gargouille!

✿ Va à la **section 84**.

✿ section 22 ✿

En voletant, tu t'approches de la surface de l'étang. D'un œil, tu surveilles les deux enfants, et d'un de tes quatre bras, tu sors le chandail de l'eau. Puis, silencieusement, tu retournes te poser sur la berge avec ton butin dégoulinant. Là, tu constates que le chandail est d'un beau rouge vif. Le soleil n'a pas eu le temps d'en décolorer le tissu. Cet indice te laisse supposer que le vêtement n'a été abandonné que depuis peu de temps.

Perdue dans tes pensées, tu oublies de garder un œil sur les enfants. C'est alors qu'une forte respiration essoufflée te fait sursauter. Un gros animal plus noir que la nuit s'est approché de toi. C'est un chien. Un labrador, comme ceux dont se servent les chasseurs pour récupérer dans les lacs les canards abattus. Le chien tend le museau vers le chandail. Tout en lui caressant la tête, tu le laisses renifler le vêtement. Le labrador part aussitôt en courant. Dans la forêt, le flair du gros toutou noir te mène directement à une paire de pantalons. Il continue sa course, dénichant une botte, puis celle qui complète la paire. Le chien découvre aussi des chaussettes. Toutefois, l'une d'elles est au milieu d'une petite clairière, alors que l'autre, un peu plus loin, se trouve juste à l'entrée d'une grotte.

Quelle piste suis-tu, Énalla ?

❀ Si tu fouilles la clairière à la recherche d'un autre indice du passage de Gargouille, va à la **section 55**.

❀ Si tu oses pénétrer dans la grotte, va à la **section 67**.

❀ section 23 ❀

Tout le long de ce sentier, les moineaux gazouillent gaiement dans les arbres. Entraînée par leur bonne humeur, tu chantes avec eux. Puis, au bout d'un long moment, tu t'arrêtes et tu observes les alentours. Tu connais cet endroit... Tu marches encore un peu... Tu dois te rendre à l'évidence : ce sentier t'a ramenée chez toi, dans ton marais!

❀ **Puisque tu n'as toujours pas retrouvé Gargouille, envole-toi vers la section 18.**

❀ section 24 ❀

Dans le noir, peut-être parviendras-tu à te faire passer pour une petite fille humaine. Dans ce but, tu rabats tes ailes dans ton dos et tu y caches ta deuxième paire de bras. Tu es tout près de l'enfant maladroit lorsque son compagnon de jeu frappe le ballon de toutes ses forces. Tu le reçois en plein ventre. Tombée à genoux, tu ne peux retenir un cri de douleur. Le garçon que tu voulais embrasser se penche vers toi. Après t'avoir examinée quelques secondes, il glapit :

— Une mouche mutante radioactive !

Une bande d'enfants se précipitent vers toi. Ils touchent tes cheveux, ta peau et tes orteils. Ils rient, persuadés que tu portes le déguisement le plus réussi de tous les temps. Puis, le père d'un de ces enfants braque une lampe de poche sur ton visage. Alors là, tous se mettent à s'égosiller, les adultes plus fort encore que les enfants. Tu tentes de t'envoler, mais une petite fille s'est accrochée à une de tes jambes. Elle voudrait bien essayer ton costume.

Quelques minutes plus tard, tu te retrouves prisonnière dans la cage d'un certain Fido. Les humains n'ont pas encore décidé de ce qu'ils feront de toi. Ils passeront un coup de fil, mais à qui ? Au directeur d'un cirque ? À un scientifique ? À un journaliste ? Lequel déboursera le plus d'argent pour t'avoir ? Une seule chose est sûre, tu ne retrouveras ni ta liberté ni ton ami Gargouille. Mettre les pieds sur le camping n'était peut-être pas une bonne idée...

Tu n'as pas réussi ta mission. Heureusement, en refermant ce livre, tu reprendras aussitôt ton propre corps, loin de la cage où on a enfermé Énalla.

✿ Va à la **section 83**.

✿ section 25 ✿

L'écureuil te fait zigzaguer longtemps entre les feuillus et les conifères. Finalement, il saute dans un chêne et disparaît à travers son feuillage brunâtre. En t'approchant, tu remarques qu'il y a une porte dans le tronc de cet arbre. Après avoir repris ton souffle, tu tentes de l'ouvrir. Mais tu as beau tirer sur la poignée de toutes tes forces, la porte ne cède pas. Elle doit être fermée à clé. Dès que tu lâches la poignée, l'arbre se met à bouger. En levant la tête, tu vois que toute une colonie d'écureuils a pris le chêne d'assaut. Une pluie de glands vole vers toi. Pour éviter ces douloureux projectiles, tu recules de quelques pas. Les écureuils continuent de faire trembler l'arbre en bondissant sans cesse d'une branche à une autre.

Comment réagis-tu, demoiselle-fée ?

❀ Si tu te sauves avant que les petits rongeurs aux longues dents décident de te sauter au visage, cours à la section 29.

❀ Si tu restes afin de savoir pourquoi les écureuils se comportent de cette étrange façon, va à la section 6.

❀ section 26 ❀

Tu te lances si vite sur le garçon que tu t'enfarges dans tes pieds et culbutes. Ton acrobatie te propulse directement sur le garçon. Heureusement, tu parviens à lui bécoter le menton avant de t'effondrer au sol. Ce geste suffit à transformer le garçon. Mais le voilà devenu un oiseau blanc ! C'est Cornélia, la corneille magicienne! Celle-là même qui a changé Gargouille en humain.

— Tu n'as toujours pas retrouvé ton ami? croasse-t-elle en battant des ailes.

Elle les agite si fort que plusieurs plumes s'envolent et s'entremêlent dans un tourbillon blanc. Toi, tu es toujours étalée de tout ton long, ventre contre terre. Les plumes tombent au sol, juste devant ton nez. En les regardant bien, tu vois qu'elles se sont déposées en deux paquets. De plus, une lettre est inscrite sur chacune de ces plumes.

Replace les plumes dans le bon ordre afin de former deux mots.

Parviendras-tu à décoder l'étrange message de Cornélia, Énalla?

✿ Si tu réussis, tu sauras vers quelle section elle te fera voyager magiquement et instantanément. Va à cette section, où tu apparaîtras dans une autre grotte!

✿ Si le message de Cornélia demeure un mystère pour toi, un gros chien errant finit par te flairer et il te donne la chasse. Sauve-toi vers la section 29.

✿ section 27 ✿

Pour répondre à la question de la taupe-araignée, tu lui dis que les lignes dans ses yeux sont parallèles. Elle te confirme que tu as raison. Pourtant, au lieu de t'indiquer quel tunnel emprunter, la créature sournoise en pointe deux. D'une de ses huit pattes, elle te propose de pénétrer dans un tunnel qui semble désert, mais d'où proviennent d'inquiétants grattements. D'une deuxième patte velue, la taupe-araignée t'offre de passer par un tunnel envahi de bourdonnements.

✿ Si tu choisis le premier tunnel, entre dans la section 38.

✿ Si tu choisis le deuxième tunnel, va à la section 72.

❀ section 28 ❀

La sorcière se met à remuer sa potion avec ardeur, comme si elle cherchait à y mélanger les mots de la formule magique.

— Tu es futée, demoiselle-fée, te complimente-t-elle. Mais ce ne sera pas si facile. Avant de boire cette potion, tu dois connaître le nombre exact de gorgées à avaler. Une de plus ou une de moins, et la magie n'aura aucun effet.

— J'imagine que vous ne me direz pas combien je dois en boire, soupires-tu.

— Futée, répète la vieille sorcière. Par contre, j'ai une énigme pour toi. La réponse, si tu la trouves, t'indiquera le nombre de gorgées qu'il faut.

Écoute bien l'énigme de la sorcière, Énalla.

— Un crapaud est tombé tout au fond d'un puits. Ce puits a une profondeur de douze mètres. Chaque jour, le crapaud réussit à grimper de trois mètres. Mais la nuit venue, il s'arrête pour se reposer et glisse vers le fond sur deux mètres. Après combien de jours ce crapaud sortira-t-il du puits?

Penses-y bien avant de répondre.

❀ Si tu crois que la réponse est 12, va à la **section 63**.

❀ Si tu crois que la réponse est 10, va à la **section 58**.

❀ section 29 ❀

Prenant tes jambes à ton cou, tu te sauves dans la forêt. Au bout d'un moment, tu fais une pause, le temps de reprendre haleine. Le danger semble loin derrière toi. Mais soudain, un garçon fait irruption dans ton champ de vision. Sur un vélo décoré de flammes, il file droit sur toi à toute allure! En t'apercevant, il freine brusquement. Il t'observe une seconde avant de faire demi-tour. Pédalant à un rythme d'enfer, il s'éloigne de toi. Tu lui donnes alors la chasse à tire-d'aile. Tu ignorais qu'une bicyclette pouvait rouler aussi vite! Tu t'essouffles. Tu penses même abandonner la partie.

C'est alors qu'un raton laveur traverse le sentier juste devant le pneu avant du bolide. De nouveau, le garçon freine brusquement. Cette fois, ce geste le déstabilise et il chute. Sur le bord du sentier, le raton laveur t'envoie un clin d'œil avant de disparaître dans les broussailles.

Le garçon n'est pas blessé, mais sa cabriole dans les buissons te donne le temps de poser sur sa joue un bisou sonore. Il hurle comme une belette prise dans un piège. Il redresse son vélo, l'enfourche et beugle :

— À l'aide ! Une créature extraterrestre essaie de me siphonner le cerveau !

Toi, tu craches par terre et tu t'essuies les lèvres avec dégoût.

— J'aurais préféré te siphonner le cerveau ! lui cries-tu en retour. Il a sûrement meilleur goût que ta joue crasseuse !

Tu aurais dû savoir que ce garçon n'était pas Gargouille. On n'apprend pas à un crapaud à monter à bicyclette en seulement quelques heures.

✿ Si tu poursuis ton chemin sur le sentier d'où est venu le garçon, va à la section 77.

✿ Si, au contraire, tu t'en éloignes, va à la section 70.

✿ section 30 ✿

Tu dis à la taupe-araignée que tu entends parler les formes qui sont tracées sur le sol. Cette réponse la fait rire si fort que tu peux voir le fond de sa gorge. Là, une de ses proies, un cloporte, s'accroche désespérément à sa luette de ses quatorze pattes. Des restes d'autres anciens repas sont aussi coincés entre les dents de la dangereuse prédatrice : des moitiés de vers de terre encore remuants et des carapaces de scarabées.

— Elles parlent ? s'exclame-t-elle.

— Absolument, réponds-tu.

L'abominable créature rit tellement qu'elle en tombe à la renverse. Ses huit pattes tressautent dans les airs sans pouvoir s'arrêter. Toi, tu en profites pour te sauver en pénétrant dans un tunnel au hasard.

✿ Si tu prends un des tunnels situés sur ta gauche, cours sans reprendre ton souffle jusqu'à la section 46.

✿ Si tu prends un des tunnels situés sur ta droite, va à la section 38.

✿ section 31 ✿

Très vite, tu te rends compte que ce n'est pas si facile de suivre une piste. Tu es une demoiselle-fée, pas un chien pisteur ! Sur le sol, différentes traces de bottes s'entrecroisent et partent dans tous les sens...

À la page suivante, repère d'abord les traces qui, selon toi, sont les bonnes. Ensuite, suis-les à partir de la case numéro 1, 2 ou 3. Tu peux te déplacer d'une seule case à la fois, de façon verticale, horizontale ou diagonale.

✿ Si ton parcours te mène à l'endroit A, D ou F, va à la section 36.

✿ Si ton parcours te mène à l'endroit B ou G, va à la section 14.

✿ Si ton parcours te mène à l'endroit C ou E, va à la section 5.

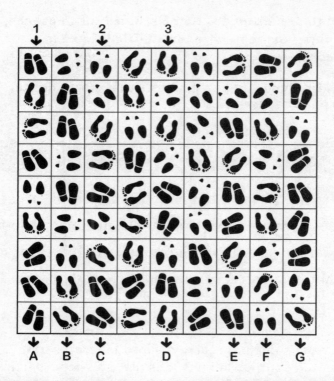

❀ section 32 ❀

Les écureuils se mettent à crier. Ils râlent, gloussent, caquettent et glapissent de plus en plus fort. Sont-ils fâchés parce que tu n'as pas trouvé la solution à leur rébus ? Particulièrement agités, ils sautent maintenant d'une branche à une autre. Puis, l'un d'eux bondit sur le dos d'un deuxième et lui grimpe sur la tête.

Un autre fait la même chose, et un autre encore. Ils se regroupent tous en une masse géante qui se change subitement en oiseau. C'est la corneille blanche ! Cornélia s'élance aussitôt vers le ciel, évitant l'attaque d'un énorme rapace qui se précipite sur elle depuis le ciel. Il la frôle de près avant de s'abattre dans le chêne, qui tremble sous le choc. C'est un aigle. Par contre, sa tête est celle d'un loup, ainsi que sa queue touffue.

Au pied de l'arbre, tu essaies de passer inaperçue, mais tu as si peur que tu as du mal à respirer. Le simple bruit que tu fais en avalant ta salive attire l'attention de l'aigle-loup. Ses yeux jaunes de carnassier se posent sur toi. L'aboiement qui sort de sa gueule est si aigu qu'il te glace le sang. Ses babines se retroussent. Tu sais qu'il va fondre sur toi d'une seconde à l'autre.

✿ Si tu fuis, cours à la **section 81**.

✿ Si tu penses que tu n'as pas le temps de fuir et que tu te prépares à combattre l'aigle-loup, va à la **section 7**.

❖ section 33 ❖

Tu te faufiles dans ce tunnel. Te mènera-t-il vraiment à la sortie? Pour l'instant, il te conduit d'une galerie souterraine à une autre, et encore à une autre. Tu commences à te dire que la créature t'a bien eue, et que tu n'échapperas pas à son piège. Mais, enfin, tu aperçois une lueur devant toi. Tu accélères le pas... Et te voilà de nouveau devant l'immonde taupe-araignée. La mauvaise joueuse t'attendait. Elle a une énigme pour toi.

— Regarde bien au fond de mes yeux, t'ordonne-t-elle.

Puisque tu n'as pas d'autres choix, tu lui obéis. Dans ses yeux, tu vois des lignes et des carrés. En les fixant de près, tu as le sentiment que la créature malfaisante essaie de t'hypnotiser.

— Les lignes horizontales sont-elles parallèles? te demande-t-elle.

Il y a un rire dans la voix de la taupe-araignée. Apparemment, elle est persuadée que tu vas te tromper.

Regarde bien l'image ci-dessous, Énalla.

Les lignes pointées par les flèches sont-elles toutes parfaitement droites (et donc parallèles les unes par rapport aux autres) ou penchent-elles un peu?

✿ **Si tu crois que les lignes sont droites (parallèles), va à la section 27.**

✿ **Si tu as plutôt l'impression qu'elles penchent, rends-toi à la section 53.**

❀ section 34 ❀

Tu passes la clôture du parc sans te faire repérer. Cachée derrière le mur d'escalade de l'aire de jeu, tu épies les enfants qui s'y amusent. Malgré le ciel tout noir et le grondement du tonnerre, trois ne sont toujours par rentrés chez eux. Un garçon et une fille jouent dans un grand carré de sable. Ils ont construit un château aussi haut qu'eux. Le garçon ne porte qu'un pantalon court, sans chandail. À l'autre bout du terrain, un deuxième garçon est assis sur une balançoire à bascule. Personne ne se trouve en face de lui. Il a beau pousser le sol de ses pieds pour rebondir, c'est peine perdue.

Le premier que tu embrasseras va alerter la terre entière, c'est certain. Tu commences à avoir l'habitude. Tu ne réussiras donc pas à les embrasser tous les deux. L'un d'eux est peut-être bien Gargouille. Tu dois faire le bon choix.

Lequel embrasseras-tu, Énalla ?

✿ Si tu choisis le garçon sans chandail qui joue dans le sable avec la fillette, avance vers la **section 40**.

✿ Si tu choisis plutôt le garçon solitaire sur la balançoire, précipite-toi à la **section 26**.

✿ section 35 ✿

Le sol s'ouvre sous tes pieds. Tu es propulsée sous terre! Ta chute est si rapide que tu ne parviens pas à ouvrir tes ailes. Tu as beau avoir deux paires de bras, tu n'arrives pas non plus à te retenir aux parois du gouffre. Tu aboutis finalement dans une cavité souterraine où surgit une bête des plus étranges. Et des plus terrifiantes! D'abord, elle est trois fois plus grosse que toi. Elle a le corps et la tête poilus d'une taupe, mais ses huit pattes, qui se terminent par de longues griffes recourbées et sûrement très tranchantes, sont celles d'une araignée. Malheureusement pour toi, l'affreuse créature n'est pas myope comme une taupe. Elle te regarde droit dans les yeux. Autour d'elle, des dizaines de tunnels forment un gigantesque labyrinthe. C'est, en quelque sorte, la toile où elle piège ses victimes.

Avant que tu puisses t'esquiver dans l'un de ces tunnels, l'horrible bête te saisit par la peau du cou et te secoue comme si tu n'étais qu'un vieux sac de patates. Elle te renifle. Satisfaite de ton odeur, elle éclate d'un rire qui t'égratigne les oreilles.

— Laisse-moi partir! la supplies-tu en gesticulant des deux jambes et des quatre bras.

Ta réaction ne sert qu'à la faire rire davantage. Le son est insupportable. On dirait que quelqu'un frotte ses ongles sur un tableau d'ardoise.

— Je ne suis pas méchante, te dit la très laide taupe-araignée. Seulement affamée. Pour te prouver ma gentillesse, je vais te donner une chance de retrouver ta liberté.

— Dépose-moi! protestes-tu.

— Pas avant que tu aies accepté de répondre à ma question. Si tu te trompes, je ne ferai qu'une bouchée de toi.

— Quelle est cette question? lances-tu courageusement à l'horreur à huit pattes, alors que tu trembles de peur.

La taupe-araignée relâche sa prise et tu vas t'écraser au sol. Elle te laisse reprendre pied et elle souffle sur la terre. Une couche de poussière se soulève, ce qui te fait tousser. Tes yeux piquent. C'est à travers tes larmes que tu découvres d'étranges formes tracées dans la terre.

— Vois-tu ces dessins bouger? te demande la dangereuse prédatrice.

Regarde bien les dessins ci-dessous, Énalla.

✿ Si tu réponds que ces dessins ne bougent pas, rends-toi à la **section 51.**

✿ Si tu réponds que ces dessins bougent, va à la **section 44.**

✿ Si tu réponds que ces dessins parlent, va à la **section 30.**

✿ section 36 ✿

Quelques pas plus tard, tu as beau fouiller la terre vaseuse des yeux, tu ne trouves plus aucune empreinte qui ressemble à celles que tu suivais. Aurais-tu pris le mauvais chemin? En relevant la tête, tu t'aperçois que tu es revenue sur tes pas, tout près de ton étang.

✿ Si tu veux réessayer de découvrir où mènent les traces de bottes, retourne à la **section 31.**

✿ Si tu préfères changer de direction pour suivre d'autres traces qui s'enfoncent dans le marais, pivote vers la **section 12.**

❀ section 37 ❀

Tu es tellement impatiente de retrouver ton ami Gargouille que tu ne prends même pas la peine de saluer Chélonie. Tu lui demandes tout de suite si elle a vu un petit garçon humain dans le marais. Chélonie est une gentille tortue, et elle veut t'aider. L'ennui, c'est qu'elle parle aussi lentement qu'elle marche! Au bout d'une éternité, tu comprends qu'un enfant a sauté dans son étang et qu'il a rejoint le fond en nageant à la manière d'un crapaud.

— Il n'est jamais ressorti de là, t'apprend également la tortue.

— C'est impossible! répliques-tu. Les humains sont incapables de retenir leur respiration si longtemps sous l'eau.

Au bout d'une deuxième éternité, Chélonie t'explique qu'il y a deux tunnels souterrains au fond de son étang.

— Ils conduisent tous deux au cœur de la forêt, te révèle la tortue.

Sans plus attendre, tu plonges dans l'étang de Chélonie. Allant de l'entrée d'un tunnel à l'autre, tu constates que celui de gauche est envahi par les algues, tandis que celui de droite est très étroit.

Dans lequel entres-tu, Énalla ?

✿ **Si tu te faufiles entre les algues du tunnel de gauche, va voir où il te mène en te rendant à la section 81.**

✿ **Si tu choisis plutôt celui de droite, rampe jusqu'à la forêt à la section 80.**

✿ section 38 ✿

Des rats sortent de tous les coins de ce tunnel! Il en grouille de partout! Toi, tu cours à en perdre haleine en t'efforçant d'éviter ceux qui se faufilent en couinant entre tes pieds. D'autres se dandinent, accrochés à la voûte au-dessus de toi... L'un d'eux te tombe sur la tête et prend tes cheveux pour un nid! Tu as beau courir dans tous les sens en tapant dans tes mains pour éloigner les rats, ce tunnel ne semble pas avoir d'issue. Chaque fois que tu t'imagines être arrivée au bout, tu débouches dans un autre tunnel. Tu parcours ce labyrinthe de long en large pendant plus d'une heure. Peu importe le chemin que tu choisis, il est envahi par les petits rongeurs aux yeux rouges et aux longues dents jaunes.

Tu es si fatiguée! Tes jambes ne te portent plus, et les tunnels sont trop étroits pour que tu y ouvres les ailes. Alors que tu t'effondres au milieu des horribles petites bêtes poilues, tu entends résonner une voix monstrueuse :

— Tu ne sortiras jamais de mon antre, demoiselle-fée! Ce tunnel n'a pas de sortie!

Vidée de ton énergie, tu sens l'espoir te quitter. Tu n'as plus la force de lutter contre les rats. Tu les laisses se glisser sous ton corps et t'emporter en trottinant. Serviras-tu de repas à l'immonde créature souterraine qui règne en ce lieu? Tu l'entends déjà se lécher les babines.

Ne prends pas la chance d'être dévoré tout cru!
Hâte-toi de quitter le corps d'Énalla!

✿ Va à la **section 83.**

❀ section 39 ❀

Cette phrase que tu viens de prononcer est bel et bien un mot de passe! Tu es si heureuse de voir la porte du grand chêne s'ouvrir que tu te précipites à l'intérieur de l'arbre sans réfléchir. Lorsque la porte se referme derrière toi avec fracas, tu te dis que tu viens peut-être d'entrer dans l'antre d'un être malfaisant. L'endroit est très sombre.

— N'aie pas peur, te rassure alors une voix amicale.

Tes yeux s'habituent à l'obscurité, et tu commences à entrevoir la silhouette de celui qui se cache dans le grand chêne.

❀ **Va à la section 62.**

❀ section 40 ❀

Tu avances vers le garçon à pas de velours, quand la fillette avec qui il s'amuse dans le sable t'aperçoit. Elle se met aussitôt à crier à tue-tête en se couvrant les paupières avec les bras. On pourrait croire que le bleu de ta peau et le violet de tes cheveux lui brûlent les yeux. Ses hurlements font bondir deux hommes et une femme du banc qu'ils occupaient. Oups! Tu n'avais pas remarqué la présence d'adultes. Ils se précipitent vers toi. Un des deux hommes saisit une raquette de badminton au passage, tandis qu'une femme fait tournoyer dans les airs la corde à sauter qu'elle tient à la main. Cherche-t-elle à t'attraper au lasso comme un vulgaire veau? Tu t'enfuis en volant, mais, dans l'affolement, tu ne sais plus quelle direction prendre pour rejoindre la forêt. Tu parcours donc le village d'une frontière à l'autre. Chaque fois que tu croises le chemin d'un adulte, il vient gonfler les rangs de tes poursuivants.

Quand tu atteints enfin l'orée de la forêt, tu dois te poser et continuer en courant, car tes ailes n'ont plus la force de te porter. Alors qu'un homme va t'agripper par un de tes quatre bras, une énorme bête fend le ciel et t'arrache du sol. C'est un aigle à tête de loup! Fonçant à travers les arbres, il te traîne dans la forêt, loin des humains. Puis, il te lâche. Tu roules sur la terre où tu fais quelques culbutes avant de t'immobiliser. Tu as maintenant une pomme de pin dans la bouche et les fesses qui pointent vers le ciel… Malgré cela, tu ne t'es pas fait trop mal.

Mais où as-tu atterri, Énalla ?

Regarde bien autour de toi.

Observe les animaux ci-dessous, ce sont ceux qui se trouvent autour de toi. Parmi eux, il y en a deux qui ne partagent pas le lien que tous les autres ont en commun. Trouve un de ces deux intrus.

✿ Rends-toi à la section qu'un des deux intrus t'indique.

Attention ! Les deux intrus te conduiront directement à une fin heureuse. Les autres animaux pourraient t'attirer de graves ennuis. Le choix de certains pourrait même provoquer la colère de l'abominable aigle-loup, qui est toujours dans les parages.
Réfléchis bien !

❀ section 41 ❀

Rien ne se produit. Tu as beau répéter cette phrase plusieurs fois, la porte demeure fermée. Les écureuils, eux, ont tous disparu. Sans te décourager pour autant, tu reprends tes recherches au hasard de la forêt.

❀ Va à la **section 76.**

❀ section 42 ❀

Tout en marchant, tu te perds dans tes pensées. Tu voudrais bien savoir combien de garçons tu devras embrasser avant que Gargouille te soit rendu. Poser les lèvres sur une limace qui se tortille serait moins

pénible. Les limaces ne sentent pas le vieux bas sale!
De plus, elles ne disent jamais de gros mots.

Subitement, tu t'immobilises. Quelque chose de
doux chatouille la plante d'un de tes pieds... Tu écrases
la queue d'un écureuil! De ses petits doigts griffus, le
rongeur tire de toutes ses forces sur un de tes orteils.
Dès que tu soulèves ce pied bleu qui le retient prisonnier, il s'enfuit en râlant.

Le suis-tu, Énalla?
Vite, décide-toi!

❀ **Si tu te lances derrière l'écureuil, va à la section 25.**

❀ **Si tu l'oublies et que tu continues ton chemin, va à
la section 55.**

❀ section 43 ❀

Tu marches d'un pas pressé. Tu as peur de ce qui pourrait t'arriver si un humain adulte te mettait la main au
collet. De bonnes odeurs sortent de chez le boulanger

et de chez le fleuriste. Mais ce n'est qu'une fois devant un magasin de friandises que tu t'arrêtes. Tous les enfants aiment le sucre! Même ceux qui sont nés dans le corps d'un crapaud.

Un petit tintement de cloche annonce ton entrée dans la boutique de bonbons. Dissimulée derrière un présentoir à jouets en peluche, tu examines les lieux. Il n'y a qu'un seul client dans le magasin. C'est un garçon de ton âge. Quant à la propriétaire des lieux, une vieille dame aux lunettes épaisses assise derrière son comptoir, elle est plongée dans la lecture d'un roman. Après avoir fait quelques pas vers le garçon, tu le surprends à se goinfrer de jujubes qu'il n'a même pas payés. Ces bonbons gélatineux ont la forme de vers de terre, de mille-pattes et de petites couleuvres. Tous des mets dont Gargouille raffole... Les joues bombées par les friandises, l'enfant a vraiment des allures de batracien. Serais-tu, enfin, en face de ton ami Gargouille? Pour en avoir le cœur net, tu dois l'embrasser. Ça ne devrait pas être trop pénible cette fois, puisque ce garçon ne sent pas le petit cochon. Il dégage une odeur sucrée de fraise, de banane et de citron. Vite, profites-en pendant qu'il a la bouche pleine. Il ne pourra pas crier.

Dès que tes lèvres se posent sur la joue gonflée du garçon, il se transforme sous tes yeux! D'abord, sa peau devient verte, puis elle se parsème de petites verrues brunâtres. Ses jambes s'allongent et se tordent. Et voilà qu'il bondit! Alors qu'il est dans les airs, il rapetisse d'un coup. Tu attrapes ton ami crapaud dans la coupe de tes mains. Il semble avoir le teint plus vert qu'à l'habitude... Aurait-il mangé trop de bonbons? Qu'importe! Tu l'as retrouvé! Sa longue langue jaillit de sa gueule et te laisse une traînée jaunâtre sur la joue.

— Énalla! Que fait-on ici? s'inquiète Gargouille.

Son exclamation attire l'attention de la vieille dame derrière le comptoir. Elle lève son regard vers toi. N'en croyant pas ses yeux, elle enlève ses lunettes, essuie les verres sur sa robe, puis les remet sur son nez.

— Un crapaud! glapit-elle, scandalisée. Ce n'est pas une animalerie, ici, mon enfant. Allez, ouste!

Est-elle myope au point de ne pas avoir remarqué ton aspect inhabituel ? Non, il y a une autre explication...

En annulant le sort de la vieille magicienne, tu as accompli ta mission. Et comme tu peux le constater en te regardant dans la vitrine de la boutique, cet exploit t'a automatiquement rendu ton apparence humaine.
Félicitations !

✿ **Va à la section 84.**

✿ section 44 ✿

La taupe-araignée est dans tous ses états. Elle ne s'attendait pas à ce que tu la déjoues ; elle croyait être la seule à voir bouger ces dessins. L'abominable bête trépigne de colère sur ses huit pattes griffues. Heureusement, une fois calmée, elle tient sa promesse en t'indiquant le tunnel à emprunter pour sortir de son antre. Un peu anxieuse, tu espères qu'elle ne te joue pas là un vilain tour. Malgré tes doutes, tu n'as pas envie de t'attarder une seconde de plus que nécessaire dans cet horrible labyrinthe. C'est pourquoi tu te précipites dans le tunnel. Bientôt, tu découvres que cette galerie débouche bel et bien dans la forêt.

✿ Va à la **section** 77.

✿ section 45 ✿

Tu es sur le sentier qui conduit au camping La hutte du castor. Tout est calme. Mais tu n'es pas au bout de tes peines, car ce chemin finit par se séparer pour partir dans deux directions opposées. Iras-tu à gauche ou à droite? Pendant que tu t'interroges, tu remarques que cette question est justement gravée dans l'écorce d'un arbre qui se dresse entre les deux sentiers. «À gauche ou à droite?». En guise de réponse, il y a une série de dessins représentant des animaux.

— Tu dois identifier chacun de ces animaux, t'explique alors une tortue recroquevillée dans sa carapace au pied de l'arbre. (Tu l'avais prise pour une pierre!)

Ensuite, poursuit la tortue, pour chaque animal, tu dois prendre la première lettre de son nom, puis inscrire sur la ligne soit la lettre qui vient avant celle-ci dans l'alphabet, soit celle qui vient après. Si tu réussis à déchiffrer ce mystérieux code, tu sauras quel chemin prendre !

ABCDEFGHIJKLMNOPQRSTUVWXYZ

_____   _____   _____   _____   _____   _____

D'après toi, Énalla, lequel des deux sentiers te mènera au camping ?

✿ Si tu ne réussis pas à décoder la réponse malgré l'aide de la tortue, choisis un de ces deux sentiers au hasard (**section 11** ou **section 23**).

✿ Si tu t'engages sur le sentier de gauche, va à la **section 11**.

✿ Si tu prends le sentier de droite, va à la **section 23**.

❀ section 46 ❀

Te voilà dans un village humain! Tu es sur le bord d'une route, à une intersection. Le ciel s'est couvert de gros nuages noirs et un orage menace d'éclater. C'est une chance, car il n'y a personne dehors pour te voir. En lisant un panneau, tu découvres les deux choix qui s'offrent à toi. Tu peux avancer sur l'avenue Principale, où il y a plusieurs boutiques, ou passer par la rue des Tulipes, au bout de laquelle se trouve un parc.

Que fais-tu, Énalla ?

❀ **Si tu te diriges vers le parc, va à la section 34.**

❀ **Si tu longes plutôt l'avenue aux boutiques, va à la section 43.**

❀ section 47 ❀

C'est d'une voix confiante que tu dis au garçon :

— L'animal préféré des aveugles est le chien.

— Ce n'est pas la bonne réponse! se met à rire le garnement. L'animal préféré des aveugles est la cane! Ils en ont besoin pour se déplacer.

Parce que tu n'as pas fourni la réponse qu'il attendait, le garçon à l'imperméable refuse de te dire dans quelle direction Gargouille est parti. Tu devras te débrouiller seule!

✿ **Va à la section 20.**

✿ section 48 ✿

Un rayon de soleil balaye l'intérieur de la grotte. Tu n'es pas seule. Un garçon t'observe depuis le rocher où il est accroupi. Ses genoux sont remontés vers son visage, à l'image d'un crapaud, et ses cheveux sont tout ébouriffés.

— Sais-tu qui je suis? lui demandes-tu.

— Tu es une demoiselle-fée, te répond le garçon.

Ton cœur se gonfle de joie et de soulagement.

— Viens! appelles-tu Gargouille en lui tendant une main. Rentrons au marais.

— Non! s'écrit-il en bondissant loin de toi. J'ignore ce que je faisais dans ce marais puant ce matin, mais il est hors de question que j'y retourne!

Le garçon tente de s'enfuir en courant hors de la grotte quand un renard se dresse devant lui et lui bloque le chemin. L'enfant tente de sauter par-dessus l'animal, mais ses bonds ne sont pas aussi efficaces que par le passé, alors qu'il était un crapaud. Il retombe sur les genoux en lâchant un cri de douleur. Le temps que le garçon se redresse, un raton laveur, un blaireau, une marmotte et un porc-épic se joignent au renard pour l'encercler et l'empêcher de fuir. Toi, tu t'envoles pour redescendre au milieu de ce cercle formé par les animaux. Certaine que le garçon à genoux est bel et bien ton ami Gargouille, tu l'embrasses sans ressentir la moindre répugnance. Aussitôt, il redevient un crapaud! Afin qu'il saute sur ton épaule, tu t'agenouilles à ton tour. Tandis que vous prenez ensemble la direction de votre joli marais tranquille, le renard, le raton laveur, le blaireau, la marmotte et le porc-épic vous emboîtent le pas. Les animaux s'assureront que Gargouille et toi rentiez sains et saufs chez vous.

Bravo, tu as réussi!

❀ Va à la section 84.

❀ section 49 ❀

Tu as beau te creuser les méninges, tu ne trouves pas la solution à ce rébus. Dans l'arbre, les écureuils s'énervent. Ils hurlent comme des petits singes et font à nouveau trembler le chêne. Mais cette fois, seulement deux feuilles se décrochent et virevoltent vers toi. L'une est d'un beau vert crapaud, tandis que l'autre est aussi brune et sèche qu'une vieille patate.

Laquelle des deux ramasses-tu, demoiselle-fée?

❀ Si tu tends la main vers la feuille verte, va à la section 35.

❀ Si ton choix se porte sur la feuille brune, va à la section 65.

❀ section 50 ❀

La réponse à l'énigme de l'homme-chevreuil est « 7 »,

- ❀ **Si tu as donné la bonne réponse, tu apparaîtras par magie dans une grotte plongée dans la pénombre à la section 48.**

- ❀ **Si tu as donné une mauvaise réponse, va à la section 70.**

❀ section 51 ❀

En fait, tu perçois des mouvements dans ces dessins, mais tu sais très bien qu'ils sont dus à une illusion d'optique, alors tu dis à la taupe-araignée que rien ne bouge.

— Tu as tort! se réjouit méchamment l'infâme créature.

D'une patte aux poils piquants, elle te pousse la tête tout près des dessins.

— Alors? Tu ne les vois pas bouger? Serais-tu aveugle? te demande-t-elle en ricanant.

— Ils ne bougent pas réellement, c'est une illusion d'optique, et tu le sais aussi bien que moi! t'écris-tu. Tu triches!

— Je ne triche pas! Je t'ai demandé si tu *voyais* ces formes bouger, pas si elles bougeaient *réellement*! te grogne l'ignoble bête velue. Je vais être gentille, je ne te mangerai pas tout de suite. Mais je t'avertis, jolie demoiselle, il te reste une seule chance de sortir d'ici vivante.

Tu n'as pas confiance en cette taupe-araignée. Malgré tout, puisqu'elle ne te laisse pas d'autres choix, tu acceptes de jouer à nouveau.

— Regarde au plafond, te commande-t-elle.

Là, tu découvres le plan d'un gigantesque labyrinthe.

— Trouve la sortie, et tu seras libre, promet l'animal en frottant l'une contre l'autre deux de ses pattes. Un peu plus et elle se nouait une bavette autour du cou et se mettait à saliver.

Regarde bien le plan à la page suivante, Énalla.
Quel tunnel dois-tu emprunter pour quitter
le labyrinthe de la taupe-araignée?

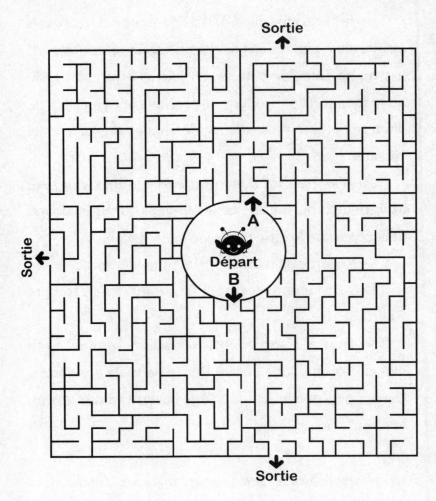

❀ **Si tu choisis le tunnel A, cours vers la section 72.**

❀ **Si tu crois que c'est le tunnel B qui te mènera à la liberté, va à la section 33.**

❀ section 52 ❀

Pendant que tu te creuses les méninges, la queue de rat de l'affreuse femme s'élève en dansant dans les airs, ondulant à la manière d'un cobra au son de la flûte d'un charmeur de serpents. Puis, la queue retombe brusquement, claquant sur le sol comme un fouet.

— Alors, jeune fille? te presse la sorcière. Si tu attends que le bouillon soit froid, sa magie n'aura aucun effet.

— Verrues de crapaud et odeur de vomi, récites-tu.

❀ **Si c'est bien à cette réponse que tu pensais, va à la section 28.**

❀ **Sinon, rends-toi à la section 75.**

❀ section 53 ❀

Après avoir regardé attentivement dans les yeux de la taupe-araignée, tu affirmes, sans l'ombre d'un doute dans la voix, que les lignes penchent.

— Tu as tort, elles sont parallèles! s'exclame l'horrible bête.

Pour te le prouver, elle sécrète un fil de soie. Tu t'en sers comme d'une règle. Tu constates alors que les lignes sont bel et bien parallèles. Tu t'es fait piéger par une illusion d'optique! Devant ton visage ahuri, la taupe-araignée rigole un bon coup. Quel sort te réserve-t-elle?

✿ **Il n'y a plus d'échappatoire possible. Rends-toi à la section 10.**

✿ section 54 ✿

Persuadée d'avoir trouvé la solution au rébus des écureuils, tu prononces cette phrase à voix haute :

— Par la magie de Cornélia, ouvre-toi !

✿ **Si c'est bien la solution que tu as découverte, va à la section 39.**

✿ **Si tu t'es trompée, va à la section 41.**

✿ section 55 ✿

Devant toi, un garçon de ton âge te tourne le dos. Il porte des habits d'un vert qui te fait aussitôt penser à ton ami Gargouille. La tête du garçon est couverte d'un chapeau au bout pointu. Penché vers l'avant, il semble cueillir des fleurs ou des champignons jaunâtres qu'il laisse tomber dans un petit chaudron noir. Tu t'avances vers lui sur la pointe des pieds. L'idée de l'embrasser ne t'enchante pas du tout. Juste à y songer, tes lèvres piquent et ton estomac se retourne. Mais pour ton ami crapaud, tu es prête au pire.

Tu n'es plus qu'à un pas du garçon quand il sent ta présence. Dès qu'il pivote vers toi, tu te propulses en avant d'un coup d'ailes et tu lui colles un bécot sur le front. La surprise lui fait lâcher son chaudron, dont le contenu se renverse sur le sol. Il ne s'agit ni de fleurs ni de champignons, mais de pièces d'or. En relevant les yeux vers le petit être, tu comprends ton erreur. Ce n'est pas un garçon humain, c'est un farfadet, un petit lutin de la forêt. Et il est furieux !

— Comment oses-tu ? s'époumone-t-il.

Son visage est aussi rouge qu'une tomate. Sous sa grimace grincheuse, il avale presque ses lèvres. Et il se met à battre des bras comme s'il allait s'envoler.

Puis, il arrête de gesticuler et il pointe sur toi un index grassouillet.

— *Pragma nata vazma lir*! prononce-t-il haut et fort.

Le sort qu'il t'a lancé te projette loin de lui. Emportée par une tornade, tu tourbillonnes dans les airs.

Où vas-tu atterrir, Énalla ?

5	77	70	60	29	81
14	76	3	80	13	59
42	80	76	38	59	42
13	48	35	14	5	38
29	3	77	4	81	3
70	60	13	80	35	78

❁ **Ferme les yeux. D'un doigt, parcours la grille de nombres à la page précédente, touche une case au hasard et va à la section corespondante.**

❁ section 56 ❁

La mare est beaucoup plus creuse que tu l'as cru. Pendant la descente, tu commences à regretter d'avoir accepté le cadeau de la sirène. Auras-tu assez de souffle pour remonter à la surface?

Une fois arrivée au fond avec la sirène, elle te guide vers un garçon étendu dans la vase. Angoissée, tu te demandes s'il est vivant. À ton expression, la fille-poisson comprend ton inquiétude.

— Même si tes yeux t'empêchent de le voir, c'est un crapaud, te rassure-t-elle. Il peut respirer sous l'eau. Il est seulement endormi.

Finalement, tu as eu raison de faire confiance à la gentille sirène. Folle de joie, tu la serres contre toi avant de t'agenouiller auprès du garçon, que tu embrasses tendrement. Il redevient aussitôt un crapaud, et la transformation le tire du sommeil. Vous remontez alors tous les trois à la surface, la sirène te tirant par la main pour que tu prennes au plus vite une bonne bouffée d'air.

Ton aventure est une réussite!
Non seulement tu as retrouvé Gargouille,
mais en plus, tu as une nouvelle amie!

✿ Va à la section 84.

✿ section 57 ✿

Repère d'abord les empreintes de batracien à la page suivante. Ensuite, suis-les à partir de la case numéro 1, 2 ou 3. Tu peux te déplacer d'une seule case à la fois, de façon verticale, horizontale ou diagonale.

✿ Si les empreintes que tu as suivies te mènent à A, va à la section 70.

✿ Si ces empreintes te mènent à B, envole-toi à la section 3.

✿ Si elles te mènent à C, continue ton chemin en entrant dans un tunnel souterrain à la section 38.

✿ Si elles te mènent à D, tu rencontres un écureuil, que tu suis jusqu'à la **section 25**.

✿ Si elles te mènent à E, engage-toi dans un sentier en allant à la **section 23**.

✿ Si elles te mènent à F, entre dans la forêt en te dirigeant vers la **section 60**.

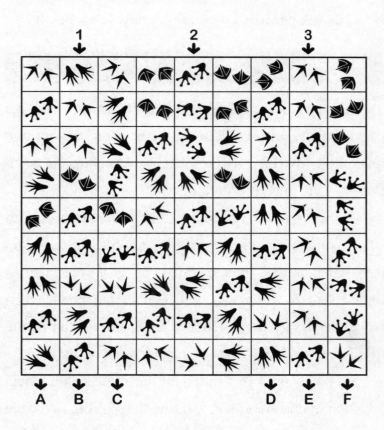

✿ section 58 ✿

«Dix» est la bonne réponse à l'énigme de la sorcière. Quand le crapaud arrive au sommet du puits le dixième jour, il sort sans attendre de redescendre pendant la nuit.

✿ **Avale dix gorgées de potion, et va à la section 78.**

✿ section 59 ✿

Tu tombes sur un garçon qui arrache un à un les pétales d'une étrange fleur multicolore en récitant une drôle de comptine : «Elle m'aime, beaucoup, passionnément, à la folie, pas du tout...»

Et si c'était Gargouille? Dépassant le garçon en volant, tu fais irruption devant lui. Parce qu'il sursaute, les pétales rouges, jaunes, orange, bleus, verts, violets et indigo s'envolent autour de lui. Terrifié, il te menace d'un lance-pierre qu'il sort de la poche arrière de son pantalon. Tu lui expliques alors très rapidement la situation.

— Laisse-moi te donner un tout petit bisou sur la joue, le supplies-tu ensuite. Un seul, et je repars d'où je suis venue.

Encore plus terrorisé, le garçon tend l'élastique de son arme vers l'arrière, prêt à lâcher un caillou sur toi. Mais au lieu de tirer, il consent à te dire :

— J'ai croisé un garçon étrange sur le sentier, là-bas, où j'ai arraché ces fleurs. Il ne portait qu'un sous-vêtement et il sautait comme un crapaud.

❀ **Si tu crois les paroles de ce garçon et que tu te diriges vers le sentier qu'il t'indique, pars pour la section 13.**

❀ **Si tu restes plutôt sur ce sentier pour voir s'il te conduira à quelqu'un d'autre, va à la section 76.**

❀ section 60 ❀

Devant toi, près de la cime d'un arbre, tu remarques une petite cabane. Il y a même un trou qui sert de fenêtre par lequel un garçon t'observe.

— Allô ! te lance-t-il.

Il porte des lunettes aux verres très épais qui lui font des yeux aussi grands et ronds que ceux d'un crapaud. Tu dois absolument vérifier si ce garçon est ton ami Gargouille !

— Veux-tu monter jouer avec moi ? te propose-t-il.

Malgré l'épaisseur de ses lunettes, il ne voit pas bien du tout ! Il n'a même pas remarqué que tu n'es pas une fille ordinaire.

— Jouons à cache-cache ! lui cries-tu. Ferme les yeux, je me cache la première.

Pendant qu'il compte jusqu'à cinquante, tu voles sans bruit dans sa direction. Tu pinces ton nez et tu fermes toi aussi tes grands yeux bleus avant de poser un bécot sur sa joue. Il fait un saut et passe près de faire une chute en bas de l'arbre. Mais c'est le seul effet que ton baiser a sur lui. Inutile de t'attarder auprès de cet enfant.

❀ Si tu t'enfonces plus profondément dans la forêt à la recherche d'un autre garçon, vole à la section 3.

❀ Si tu poursuis plutôt tes recherches sans t'éloigner davantage du marais, va à la section 42.

❀ section 61 ❀

Dans la petite grotte où tu viens d'apparaître, deux garçons sont assis autour d'un feu de camp. Ils ont fait cuire un lièvre qu'ils se partagent en mordant à belles dents dans les cuisses. Tu aurais sans doute dû préciser ta pensée en faisant ton vœu, car tout ce qu'il y a comme «gargouille» ici, ce sont les bruits que produisent les ventres de ces enfants affamés. À moins qu'un de ces garçons soit ton ami crapaud...

Lequel embrasses-tu avant qu'ils s'aperçoivent de ta présence ?

❀ **Si tu embrasses le garçon qui est dodu comme un crapaud, va à la section 26.**

❀ **Si tu embrasses celui qui a la bouche très large, rends-toi à la section 68.**

❀ section 62 ❀

Tu es devant une créature mi-humaine, mi-animale, debout sur deux longues pattes de chevreuil. Sur sa tête d'homme se dressent d'énormes bois. Ce panache lui sert de patère. Il y fait sécher une paire de chaussettes et un vieux chiffon. Une plante en pot y est aussi accrochée, et un pic-bois y a construit son nid.

— Cornélia m'a prévenu que tu passerais me voir, sifflote cet étrange personnage.

— Je cherche mon ami Gargouille, dis-tu à l'homme-chevreuil.

Il hoche la tête, ce qui fait fuir l'oiseau perché sur son panache. Visiblement, il connaît déjà ton histoire.

— J'ai une énigme pour toi, Énalla. Une bonne réponse te rapprochera de Gargouille, tandis qu'une mauvaise réponse pourrait t'éloigner de lui. Acceptes-tu ce défi?

— J'accepte! réponds-tu sans hésiter.

Écoute bien l'énigme de l'homme-chevreuil, Énalla.

— Treize hommes vont chasser dans une forêt où il y a vingt-neuf chevreuils. Les chasseurs tuent tous les chevreuils, sauf sept. Combien en reste-t-il?

✿ Si tu crois avoir trouvé la solution à cette énigme, va à la **section 50**.

✿ Si tu ne trouves pas la solution, donne une réponse au hasard et va à la **section 70**.

❧ section 63 ❧

La sorcière te tend sa grosse cuillère taillée dans une branche d'arbre. Tu la remplis de bouillon et tu en avales exactement douze gorgées.

— Mauvaise réponse! hurle la sorcière en ricanant d'une voix de crécelle.

Tu sens pourtant que la potion a des effets. D'étranges picotements parcourent chacune des parties de ton corps. La potion te transforme... en limace!

— Bave de limace! se réjouit la sorcière en emprisonnant la petite bête que tu es devenue entre deux de ses longs ongles. Voilà qui me sera très utile pour la préparation de ma prochaine potion!

Ce n'est certainement pas dans le corps d'une limace que tu pourras venir à bout de cette aventure. C'est fini, reprends ton propre corps!

❀ Va à la section 83.

❀ section 64 ❀

La jolie sirène semble si triste à l'idée de te voir partir que tu décides de rester t'amuser avec elle quelques minutes de plus. Vous jouez à cache-cache entre les roseaux, et vous faites une chasse aux coquillages. La jeune fille te présente même à son amie la loutre, qui adore les concours de grimaces.

Sans que tu t'en aperçoives, les heures passent. Puis, la sirène t'affirme qu'elle tient à t'offrir un cadeau en signe d'amitié. Si tu veux savoir quel est ce cadeau, tu dois la suivre au fond de sa mare.

❀ Si tu acceptes de descendre tout au fond de la mare avec la sirène, va à la section 56.

❀ Si tu refuses parce que tu préfères repartir à la recherche de Gargouille, rends-toi à la section 74.

❀ section 65 ❀

Sur la feuille brune, les écureuils t'ont laissé deux indices.

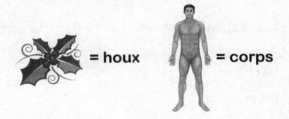

= houx   = corps

Est-ce que ces indices t'aident, demoiselle-fée ?

❁ Si tu crois avoir enfin trouvé la bonne réponse au rébus des écureuils, va à la **section 54**.

❁ Si tu es toujours dans le brouillard, va à la **section 32**.

❁ SECTION 66 ❁

Tu te saisis du sac à dos du garçon et tu t'envoles au-dessus de lui. Tu laisses pendre le sac juste assez haut pour qu'il ne puisse pas le récupérer, même en sautant comme s'il était lui-même un crapaud. Furieux, il te lance des boules de boue. Puisque tu les évites toutes sans difficulté, il renonce vite à gagner cette bataille. D'un doigt sale, il te pointe l'endroit dans le marais où le garçon-crapaud serait parti. Tu lâches son sac, qu'il rattrape de justesse avant qu'il ne s'enfonce dans la vase, et tu pars dans la direction qu'il t'a indiquée.

✿ Va à la **section 80**.

✿ section 67 ✿

Tu n'as pas fait trois pas dans la grotte obscure que tu te figes, terrifiée. Une ombre menaçante se dresse devant toi. Tu as beau cligner des yeux, il fait trop noir pour savoir à qui (ou à quoi) tu as affaire.

Regarde bien cette ombre. De quoi crois-tu qu'il peut s'agir ?

Comment réagis-tu, demoiselle-fée ?

- ✿ Si tu t'approches lentement de cette chose, va à la section 48.

- ✿ Si tu sors de la grotte et que tu fuis en volant, va à la section 3.

✿ section 68 ✿

Lorsque tes lèvres s'écrasent sur la joue de ce garçon, sa bouche s'élargit plus encore, laissant penser qu'il attendait ce baiser depuis toujours. Il se désintéresse de son morceau de viande, qu'il laisse tomber dans le feu. Maintenant, c'est toi qu'il regarde, son estomac gargouillant de plus en plus fort. Aux crépitements des flammes, il se métamorphose en une créature effroyable. C'est une gargouille de pierre à l'aspect terrifiant. Elle pousse un rugissement aussi fort et laid qu'elle, un cri qui te glace le sang dans les veines. Puis, son regard glisse sur le garçon dodu, qui devient aussi blanc qu'un fantôme.

- ✿ Si tu en profites pour te sauver, déguerpis à la section 35.

- ✿ Si tu restes pour aider l'autre garçon à se défendre, va à la section 10.

❀ section 69 ❀

Le garçon semble surpris par ta réponse.

— Mais oui! Les aveugles ont besoin d'une cane pour se diriger! lui expliques-tu.

— Je sais, grogne-t-il. Mais j'étais certain que tu allais dire le chien, à cause des chiens d'aveugle...

— Alors? le presses-tu à ton tour. Par où est parti mon ami Gargouille?

— Le garçon-crapaud a pris la direction du village, t'informe-t-il en dirigeant son doigt crotté vers un petit sentier qui serpente jusqu'à l'orée de la forêt. Tu n'as qu'à suivre les fleurs multicolores.

Après avoir remercié le garçon pour son aide, tu t'élances vers la forêt en suivant les fleurs aux pétales rouges, jaunes, orange, bleus, verts, violets et indigo. Mais tout à coup, la piste s'arrête, et deux embranchements s'offrent à toi. D'un côté, toutes les fleurs ont été arrachées du sol. De l'autre côté, des pétales de toutes les couleurs de l'arc-en-ciel sont étalés le long du sentier.

Où iras-tu, demoiselle-fée?

- ✿ Si tu suis le sentier où les fleurs ont été arrachées, va à la **section 13**.

- ✿ Si tu suis le sentier parsemé de pétales, rends-toi à la **section 59**.

✿ section 70 ✿

Tout à coup, tu sens le sol s'ouvrir sous tes pieds. Tu glisses sous la terre dans un long tunnel, comme si tu étais dans une glissade. Tu essaies de te retenir aux parois, mais c'est peine perdue. Tu t'engouffres de plus en plus vite! Puis, soudain, tu t'enfonces dans l'eau glacée. Un immense jet te propulse alors vers le haut, t'expulsant finalement à l'air libre. Tu files si rapidement dans les airs que tu n'arrives même pas à déplier tes ailes, qui t'auraient permis un atterrissage en douceur. Encore une fois, tu aboutis dans l'eau. Cette fois, cet épuisant voyage semble bel et bien terminé. Ayant repris tes esprits, tu reconnais l'endroit où tu te trouves. C'est l'étang de ton marais! Tu es revenue à ton point de départ. Il ne te reste plus qu'à recommencer tes recherches sans te décourager.

- ❁ Si tu suis les traces de bottes qui vont de la berge de ton étang à la forêt, va à la **section 31**.

- ❁ Si tu t'envoles au-dessus du marais, va à la **section 12**.

❁ section 71 ❁

Parce que tu ne trouves pas la solution à son énigme, le méchant ravisseur d'animaux se moque de toi. Il prétend que tes yeux sont plus gros que ton cerveau, et que tu n'as pas plus de neurones que tu as d'orteils.

— Pas étonnant que ta chevelure ressemble à un si gros pissenlit, ses racines sont plongées dans l'eau ! ose-t-il continuer.

Quelle est ta réaction, Énalla ?

- ❁ Si tu ignores ce petit garnement et que tu continues ton chemin en suivant les empreintes de batracien, va à la **section 57**.

- ❁ Si tu t'empares de son sac à dos pour l'obliger à te répondre, va à la **section 66**.

❀ section 72 ❀

Ce tunnel est infesté de mouches, de moustiques, de guêpes et d'abeilles. Mais étant toi-même à demi insecte, tu ne crains aucun d'entre eux. Tu entres donc dans ce tunnel et tu y progresses sans difficulté. Puis, au milieu d'un nuage de mouches, tu aperçois un garçon. Sa peau est couverte de verrues! Remplie d'espoir, tu t'approches de lui en chassant les mouches de tes quatre mains. Tu constates alors que ce ne sont pas des verrues qui constellent la peau du garçon, mais des piqûres de moustiques. Ton espoir s'envole comme les insectes, repoussés par ton profond soupir. Et voilà que l'enfant te tire la langue.

— Petit impoli! t'offusques-tu.

Quand il refait une grimace pour une cinquième fois, tu comprends que ce petit humain s'ingénie, sans succès, à attraper des mouches avec sa langue. Exactement comme le font les crapauds! Certaine de ton coup, tu saisis les épaules du garçon à deux mains. Puis, de tes deux autres mains, tu lui emprisonnes la tête et tu le gratifies d'un long baiser sur le front. La métamorphose est immédiate. Ton ami Gargouille est à nouveau un crapaud! Tu le suis le long du tunnel jusqu'à la sortie. Comble de bonheur, ce tunnel donne directement dans votre beau marais.

Bravo! Mission accomplie!

❀ Va à la **section 84**.

❀ section 73 ❀

Tu essaies de faire vite afin de t'éloigner rapidement du garçon à l'imperméable. Mais c'est plus facile à dire qu'à faire, car les empreintes de pattes se mettent à tourner en rond dans la vase. Puis, soudain, elles disparaissent!

— Hé! crie alors le chasseur d'escargots dans ton dos. Si tu cherches le crapaud, il est parti. J'allais l'attraper quand il s'est transformé en humain!

La disparition de Gargouille est donc la faute de ce petit bonhomme crasseux! Pour éviter de lui balancer un paquet de bêtises au visage, tu plaques tes quatre mains contre ta bouche. Alors que tu t'avances lentement vers lui, il n'a aucun geste de recul. Étrangement, ton apparence ne le trouble pas le moins du monde.

— Pourquoi es-tu déguisée? t'interroge-t-il.

Ignorant sa question, tu lui en poses une à ton tour :

— Par où est-il parti?

— Marilou fait un party? se réjouit le garçon. Ah! je comprends, c'est une fête costumée!

Pendant une seconde, tu te demandes si ce petit malpropre a les oreilles aussi sales que la bouche. Puis, tu prends conscience que tes quatre mains sont encore écrasées contre ta bouche. Après avoir baissé les bras, tu reposes ta question plus clairement :

— Par où est parti le crapaud transformé en garçon?

Cette fois, le chasseur d'escargots entend bien ta question.

— Que me donneras-tu en échange d'une réponse? marchande-t-il.

— Je n'ai rien à te donner! t'écris-tu, agacée par sa réaction.

Le garçon t'annonce alors qu'il t'aidera seulement si tu réponds correctement à son énigme.

— Quel est l'animal préféré des aveugles?

Concentre-toi, demoiselle-fée!

✿ **Si tu crois connaître la réponse à cette énigme, va à la SECTION 17.**

✿ **Si tu ne trouves pas de réponse à cette énigme, va à la SECTION 71.**

✿ section 74 ✿

Ton refus de suivre la sirène au fond de sa mare déclenche sa colère. Sa peau blanche vire au rouge et se couvre d'écailles. Les traits de son visage se déforment, lui faisant une horrible face de poisson. Sa queue en nageoire devient une longue queue de serpent qui sort subitement de l'eau et fouette l'air devant toi. Tu ne peux pas fuir en volant, car tes ailes sont mouillées. Tu nages pour rejoindre la berge, mais, bien sûr, la sirène est plus rapide que toi. Elle t'attrape et t'enroule dans sa longue queue. Elle hurle des mots dans une langue que tu ne comprends pas et te laisse retomber dans l'eau. Tu tentes à nouveau de t'envoler, avant de prendre conscience du changement que tu as subi. L'affreuse fille-poisson t'a transformée en poisson-chat. C'est dans le corps de ce poisson moustachu que tu décampes te terrer dans la vase du fond de la mare.

Gargouille, lui, demeure perdu dans la nature.
Sous peu, tu t'éveilleras dans ton
propre corps, sans moustache.

✿ Va à la section 83.

✿ section 75 ✿

Tu as déployé tous les efforts possibles sans pourtant déchiffrer le rébus de la sorcière. Exaspérée, elle t'empoigne une fois de plus par la peau du cou et te plonge tête première dans le chaudron, où sa potion magique mijote encore à gros bouillons. Tu te débats un moment avant de te rendre compte que la potion ne brûle pas. En sortant la tête du liquide verdâtre, tu constates que tu es dans une petite mare, devant l'entrée d'une grotte. La sorcière et son chaudron ont disparu. Derrière toi s'étend un sentier parsemé de pétales de fleurs aux couleurs de l'arc-en-ciel.

Allez, Énalla! Sors de cette mare,
secoue-toi et continue tes recherches!

❀ Si tu oses entrer dans la grotte, va à la **section 67**.

❀ Si tu préfères suivre le chemin de pétales, tourne-toi vers la **section 59**.

❀ section 76 ❀

Tu tombes nez à nez avec un garçon. Il est aussi sale que s'il s'était roulé dans la boue avec les cochons. Ou dans la vase avec les crapauds… Tu te pinces le nez. En retenant ta respiration, tu tends les lèvres vers lui. Le garçon ne se laisse pas faire! Il réagit sur-le-champ en levant les poings. Il menace même de te frapper si tu t'approches encore de lui.

— Je veux seulement vérifier si tu es mon ami crapaud qu'une magicienne a changé en garçon ce matin, lui révèles-tu.

— Ne me touche pas! te crie-t-il. Je sais que les animaux aussi colorés que toi sont venimeux. Comme les grenouilles tueuses! Si tu me touches, je vais mourir empoisonné.

— Je ne suis pas une grenouille! te défends-tu.

— Et je ne suis pas un crapaud! rétorque-t-il.

Gardant une main en l'air pour te signifier de rester où tu es, il fait glisser vers le sol le sac qu'il transporte sur son dos. Il l'ouvre d'une main et te montre un cahier rempli de gribouillis.

— Ton ami crapaud sait-il écrire? te questionne-t-il.

— Tu pourrais avoir trouvé ce sac, t'obstines-tu.

Après réflexion, l'enfant affirme :

— Il y a quelques minutes, j'ai croisé un garçon au teint verdâtre. Même qu'il avait des verrues sur le visage et sur les bras. Il est parti par là, sur le sentier qui mène au camping La hutte du castor.

Crois-tu que ce garçon te dit la vérité, Énalla ?

✿ **Si tu penses qu'il ment pour se débarrasser de toi, va à la section 19.**

✿ **Si tu lui fais confiance et que tu prends le sentier qui mène au camping, pars vers la section 45.**

✿ section 77 ✿

Devant toi, une mystérieuse créature s'active devant un chaudron accroché au-dessus d'un feu. C'est une très laide sorcière. Elle a des ailes de chauve-souris qui sont rabattues sur elle à la façon d'une cape noire. De sous cette cape sort une queue de rat, rose et sans poils, qui se tortille comme un ver de terre. Sur la tête, la sorcière porte une fourrure de chat noir dont le museau cache une partie de son long nez aux multiples grains de beauté. La queue de ce chat, enroulée autour du cou de la sorcière, lui sert d'écharpe. Une grosse

branche tordue à la main, elle brasse une potion verdâtre qui mijote dans un grand chaudron noir. D'un
doigt crochu et griffu, elle te fait signe d'approcher et
de regarder dans son chaudron. Tu obéis, et tu restes
muette de surprise. Ce n'est pas ton propre reflet que tu
vois à la surface du bouillon, mais celui de Gargouille
le crapaud.

— Lorsque ma potion sera prête, quelques gorgées te permettront d'apparaître auprès de ton ami,
t'assure la sorcière.

— Quel ingrédient faut-il encore y mettre ?
demandes-tu.

— Tout est dans le chaudron, te répond la sorcière.
Il ne manque plus que la formule magique.

Elle te saisit par le cou et te force à te pencher vers
son bouillon.

— Regarde de plus près, t'ordonne-t-elle.

Te léchant presque le visage, le bouillon se met
à frémir de plus en plus fort, produisant de grosses
bulles vertes. Puis, ces bulles éclatent pour devenir
des images.

Les images ci-dessous forment un rébus que tu dois résoudre.

Regarde bien chaque dessin avant de prononcer

la formule magique, demoiselle-fée.

✿ Si tu penses avoir trouvé la formule exacte,
   va à la **section 52**.

✿ Sinon, va à la **section 75**.

❀ section 78 ❀

Tu te retrouves dans une petite clairière. Au centre, il y a un puits. Tu t'en approches et tu regardes au fond. Un garçon patauge dans l'eau sans réussir à grimper le long des parois de pierre du puits. Après avoir détaché une corde, tu fais descendre un seau vers lui. Le garçon s'y accroche et bientôt, son visage apparaît enfin devant le tien. Heureusement que tu as quatre bras, car deux ne t'auraient pas suffi pour le remonter. Trop content de sortir enfin de cet endroit, le garçon t'embrasse! Quand tu lui rends son baiser, il se transforme en crapaud! Aussitôt, il file vers la forêt en bondissant à travers l'herbe. Tu le suis, car tu sais qu'il te conduira directement à votre marais.

Bravo!
Tu as sauvé ton ami Gargouille!

❀ Va à la **section 84.**

❀ section 79 ❀

Frustré par ta mauvaise réponse, le petit monstre-souris te mord l'oreille. Ce geste cruel a pour effet de te faire disparaître d'où tu es. L'endroit où tu réapparais est très sombre. Devant toi, une horrible taupe aux pattes d'araignée te sourit sournoisement. Autour de la bête, il y a autant de tunnels qu'elle a de pattes.

— Quel tunnel dois-je emprunter pour sortir d'ici? lui demandes-tu.

Silencieuse, la taupe-araignée te pointe un des tunnels.

❀ Rends-toi à la **section 33**.

❀ section 80 ❀

Tu aboutis non loin d'un groupe d'enfants munis de filets à papillons, de pots de verre, de boîtes en carton et de… cordes? Voilà toute une équipe de chasseurs d'animaux des marais. Tu en comptes sept. Que planifient-ils d'attraper avec de la corde? Sûrement pas une tortue ou un héron… Une créature telle que toi, peut-être? Le garçon t'aurait-il tendu un piège? À cette pensée, tu fais rapidement demi-tour pour te mettre en planque dans le haut d'un arbre dont les racines plongent dans un étang. Entre tes dents, tu rumines la traîtrise du petit menteur. C'est alors que tu aperçois, flottant dans l'étang, un chandail rouge. Et si, sans le vouloir, ce vaurien t'avait rendu service? Gargouille, habitué à sautiller les fesses à l'air, n'a sûrement pas apprécié d'être soudainement emprisonné dans des vêtements.

Soudainement, des bruits et des cris dignes d'une catastrophe naturelle te tirent de tes réflexions. Cinq des sept enfants se précipitent en courant dans la forêt. Qu'ont-ils vu de si intéressant?

Assez réfléchi, Énalla!

✿ Si tu pars dans la forêt à la suite des cinq chasseurs de créatures, va à la **section 2**.

✿ Si tu préfères profiter du départ de ces cinq-là pour aller voir sur quelle piste peut te mener le chandail rouge, descends à la **section 22**.

❀ section 81 ❀

Te voilà soudain encerclée par plusieurs animaux! Il y en a sept. À ton grand soulagement, ils n'ont pas l'air menaçant. Tandis que tu te penches pour caresser le petit écureuil, ta main passe à travers son corps! Ces animaux ne sont pas réels!

— Choisis un de ces animaux, Énalla, résonne alors la voix de Cornélia.

Même si la vieille magicienne demeure invisible, elle est là pour t'aider! Elle poursuit ses explications :

— Selon l'animal que tu choisiras, je te ferai apparaître non loin de lui, dans la forêt, dans le marais ou ailleurs.

| 12 | 25 | 23 | 62 |

| 14 | 35 | 45 |

Selon ce que tu sais de ces animaux,

lequel devrais-tu rejoindre, demoiselle-fée ?

✿ **Choisis un animal et rends-toi à la section correspondante.**

✿ section 82 ✿

La bonne réponse est : « serpent ».

✿ **Si ce n'est pas la réponse que tu as trouvée, va à la section 79.**

✿ **Si c'est bien la réponse que tu as donnée au petit monstre juché sur ton épaule, continue la lecture de cette section.**

Le petit monstre te chuchote à l'oreille :

— Tu vois ces deux arbres aux branches qui croulent sous les petits fruits rouges ? Passe entre ces deux arbres, demoiselle-fée. Voilà qui te rapprochera de ton ami disparu.

Ensorcelée par cette petite voix grinçante, tu avances entre les arbres aux fruits rouges.

✿ **Va à la section 14 pour voir où tes pas te mènent.**

❀ section 83 ❀

Cette fois-ci, tu n'as pas réussi à retrouver Gargouille. Tu peux toutefois redevenir une demoiselle-fée quand tu le voudras, et reprendre tes recherches depuis le début. Tu finiras bien par dénicher son ami crapaud !

❀ section 84 ❀

Énalla est de retour sur les bords de son étang. Maintenant qu'elle a retrouvé son ami Gargouille le crapaud, sa vie pourra reprendre son cours tranquille… jusqu'à ce que tu empruntes à nouveau son corps pour repartir en mission !

Dans la deuxième aventure de Transforme-toi en demoiselle-fée, *Minute, papillon!*, tu devras traverser un marécage habité par des créatures plus étranges les unes que les autres afin de conduire un papillon migrateur blessé dans son champ de fleurs. Cette fois, tu ne seras pas seule, car ton ami Gargouille sera là pour t'aider.

www.ada-inc.com
info@ada-inc.com

www.facebook.com/editionsada

www.twitter.com/editionsada